NA CORTINA DO TEMPO

EDGARD ARMOND

NA CORTINA DO TEMPO

- Pré-história -

Este livro revela um conjunto de acontecimentos que caracterizam os últimos tempos da civilização atlante.

Aliança

Copyright © 1978 *Todos os direitos reservados à Editora Aliança.*
5ª edição, 10ª reimpressão, julho/2024, do 63º ao 68º milheiro

Título
Na Cortina do Tempo

Autor
Edgard Armond

Revisão
Arlete Genari

Diagramação
Alline Garcia Bullara

Capa
Antônio Carlos Ventura

Impressão
Rettec Artes Gráficas e Editora Ltda.

Ficha Catalográfica

Dados Internacionais de Catalogação na Publicação (CIP)
— Câmara Brasileira do Livro | SP | Brasil —

Armond, Edgard, 1894-1982.
    Na Cortina do Tempo / Edgard Armond.
    5. ed - - São Paulo : Editora Aliança, 2013.
São Paulo : Editora Aliança, 2009.

    ISBN 978-85-88483-42-2

    1. Ficção brasileira 2. Ficção espírita I. Título.

13-05577   CDD-869.9

Índice para Catálogo Sistemático
1. Ficção espírita: Literatura brasileira   869.9

Editora Aliança
Rua Major Diogo, 511 - Bela Vista - São Paulo - SP
CEP 01324-001 | Tel.: (11) 2105-2600
www.editoraalianca.com.br | editora@editoraalianca.com.br

Apresentação _____ 7

Preâmbulo _____ 11

1. Potência Espiritual _____ 19

2. O Convite _____ 21

3. Reencontro _____ 25

4. Novas Surpresas _____ 33

5. Civilizações Remotas _____ 41

6. A Morte de Um Continente _____ 45

7. O Mosteiro de Astlan _____ 53

8. Sobre o Mar _____ 69

9. Vencendo o Abismo _____ 73

10. O Porto de Destino _____ 87

11. No Monte das Abelhas _____ 97

12. Nova Esperança _____ 103

13. Misão do Espiritismo _____ 117

14. Epílogo _____ 123

APRESENTAÇÃO

As investigações sobre a pré-história ocupam amplo espaço na curiosidade e nas preocupações dos estudiosos, pela necessidade de conhecimentos, que sempre rareiam, sobre a vida humana primitiva neste planeta que habitamos. Esses conhecimentos, aliás, se resumem em muito pouca coisa e são condicionados, duma parte, pela literatura religiosa de credos dogmáticos, que oferecem subsídio precário e restrito, além de sempre discutíveis; e, doutra parte, pelas pesquisas de fundo científico que à sua vez oferecem dados muitas vezes exagerados, não documentados e nem sempre verossímeis, como este, por exemplo, de arbitrar para a vida do gênero humano na Terra 500 milhões de anos, a contar da "descida da árvore" até nossos dias.

Não são conhecimentos oficializados, confirmados, mas supostos ou calculados que, entretanto, são difundidos livremente.

Nestas condições, qualquer subsídio que venha sobre essa literatura da pré-história é sempre bem acolhido pelos que se interessam por este setor singular, não só pela curiosidade natural como pela necessidade, como dissemos, do cultivo do campo cultural.

Este pequeno livro é uma valiosa síntese que abarca dezenas de milhares de anos da vida humana planetária, mostrando também como as civilizações se propagam e se perpetuam, por milênios, entre nações, povos e raças.

A Editora

PREÂMBULO

Neste livro não há preocupação de caráter especulativo sobre a existência ou não da Atlântida. Já nos referimos a este problema em obra anterior[1]; por outro lado, existem obras especializadas, de autores respeitáveis, que debatem o assunto com autoridade e proficiência.

Aqui atemo-nos ao aspecto espiritual, narrando os fatos ocorridos nos tempos pré-históricos, nos dias derradeiros que antecederam ao afundamento daquele continente mas, sobretudo, focalizando o modo pelo qual realizou-se a transferência, para a região sul da futura Europa, das tradições religiosas e dos conhecimentos que formaram a civilização atlante e que foram o legado da Quarta Raça-Mãe às gerações que vieram depois.

Considerando a natureza da obra, julgamos útil oferecer mais alguns esclarecimentos.

Em primeiro lugar, um esquema:

Um instrutor desencarnado, que viveu em nosso país há várias décadas e serve agora em uma colônia do Umbral Médio, atendendo ao convite de um com-

---
[1] *Os Exilados da Capela*, Editora Aliança.

panheiro, vem verificar as atuais atividades doutrinárias em nosso estado de São Paulo.

Observa, examina, anota o que vê, principalmente no setor de evangelização, na forma pela qual é feita, há vários anos, por importante instituição da Capital. Depois copia dos arquivos etéreos a gravação referente a uma das aulas a que assistiu e retransmite-a, por mediunidade telepática, desdobrando-a e acrescentando-lhe detalhes pouco conhecidos, que permitiram a composição deste livro.

Em segundo lugar, uma advertência:

Esta obra não tem caráter propriamente doutrinário espírita; é mais uma descrição histórico-espiritual, sem base em documentação outra que a mediúnica, tantas vezes suscetível de aceitação ou de recusa.

Contém referências a tradições de espiritualismo em geral, mas não se afasta dos princípios e postulados espíritas que nela predominam e se acham expressos em fatos, conceitos e fenomenologia descritos no texto e que, no último capítulo, se reafirmam na descrição de suas características cósmicas e sua destinação religiosa em nosso planeta.

Não é, portanto, uma obra espírita mas, se convierem, uma obra para cultura espírita, cujos padrões de dinamismo realizador têm bases firmes em nosso País e, dentro dele, sobretudo, em nosso Estado; cultura que se caracteriza pela capacidade de observação, investigação e formação de juízo próprio, racional e isento de sectarismo sobre verdades novas que devam incorporar ou não ao corpo da Doutrina, em respeito ao seu caráter evolucionista e de âmbito universal.

Conhecer tudo e aceitar o melhor, o mais perfeito e verdadeiro, eis um dos postulados da Doutrina dos Espíritos.

Alguns dos nomes aqui citados somente o são para efeito narrativo, sobretudo nos diálogos.

E, por último: aqueles que não julgarem aceitáveis os fatos aqui narrados, facilmente poderão descartá-los para o campo da imaginação, conquanto esta de tal forma se confunda com a inspiração, que não se pode dizer qual das duas é a mais verdadeira.

NA CORTINA DO TEMPO

.1.
Potência Espiritual

A instituição estava situada na grande avenida que como um anel, circundava o coração da cidade, da trepidante metrópole batizada, desde há quatro séculos, com o nome do grande Apóstolo dos Gentios.

No conceito dos mentores espirituais com os quais convivi naqueles poucos dias, ela era designada, indiferentemente, como Casa de Bezerra ou Casa de Ismael.

Em pouco mais de duas décadas, pelo que vi, ela se transformara numa potência espiritual e se projetava no cenário espírita da grande nação sul-americana como expressão marcante e um padrão de atividade espiritual legítimo, de organização perfeita e de firme e inspirada liderança.

Três corajosas e relevantes iniciativas dali partiram, que exerceram profunda e ampla influência na expansão do movimento espírita nacional, a saber: o caráter iniciático que se imprimira ao movimento com a criação de escolas, cursos e práticas doutrinárias de predominância evangélica[2]; a unificação doutrinária que, conquanto não terminada por lastimável ruptura do impulso inicial recebeu, todavia, a competente orientação e rumo; e o marco divisório que se plantara entre práticas e atividades de natureza inferior que se mesclavam à doutrina, numa simbiose nociva à sua finalidade redentora.

Vencidas, mesmo em parte, essas batalhas, com as armas do esclarecimento e do amor, a grande instituição refulgia agora, destacadamente, no cenário espiritual da Pátria do Evangelho, como um foco brilhante que se projeta na terra e no céu, atraindo e irradiando luzes e bênçãos.

---
[2] Atualmente, a Aliança Espírita Evangélica mantém essas duas iniciativas tal como inicialmente idealizada pelo autor. (Nota da Editora)

. 2 .
O Convite

Foi na Colônia Céu Azul, onde me encontrava em estágio de aprimoramento, que recebi o fraternal convite de Jeziel que desejava, como disse, apresentar-me algo novo e diferente no setor do esclarecimento das almas e da evangelização.

Pressuroso acudira e ali estava agora meditando sobre o passado, enquanto o ruído intenso e a agitação ininterrupta da cidade me causavam desconforto e angústia à contextura psíquica.

Naquele mesmo dia, atendendo ao emprazamento de Jeziel, meu generoso hospedeiro, às sete horas da noite já estava preparado para comparecer à inauguração de um curso doutrinário de transcendente significação.

A grande metrópole deslumbrava de luzes. Do alto, onde me encontrava, podia abranger um amplo ângulo de visão e, por toda parte, o espetáculo era o mesmo: luzes, movimento e rumor, rumor surdo e constante, que penetrava tudo e fazia vibrar até mesmo os alicerces das construções ciclópicas.

A ininterrupta caudal de veículos enchia as ruas, e os anúncios luminosos nas fachadas e nos terraços dos grandes prédios, uns permanentes, outros intermitentes, formando sentenças, figuras, símbolos ou transmitindo mensagens e notícias de todo o mundo, completavam o panorama multiforme e agitado da metrópole, àquela hora de encerramento de suas atividades diurnas.

O excesso de luz e de movimento, por outro lado, contrastava fortemente com o escuro do céu sem estrelas e com o silêncio dos espaços siderais, completamente alheios ao tumulto inferior que afirmava, exuberantemente, o predomínio dos valores materiais e transitórios do mundo terreno.

Mas, na realidade, essas coisas todas não me eram estranhas: ali estivera eu também, há algumas décadas, lutando naquele ambiente malsão para o triunfo dos valores espirituais, no esforço tenaz e contínuo da difusão do Evangelho cristão, mas agora era um simples visitante, sem qualquer filiação religiosa, separado de tudo aquilo pela cortina vibratória da morte.

Podia sentir agora, muito mais profundamente, o quanto era grosseira e ilusória toda aquela trepidação, aquela ânsia desenfreada para a conquista de bens materiais perecíveis. Por mais que se apure a sensibilidade, por mais que lave o coração nas águas amargas do sofrimento, poderá o ser encarnado fazer ideia do quanto pesa, escurece e empana a verdade, conquanto seja em si mesma muito útil à massa grosseira do corpo de carne; somente morrendo e ressurgindo se poderá encarar essa verdade, face a face, pelo menos em parte.

Mas ao mesmo tempo considerava que valor centuplicado não adquiria no meu julgamento o esforço daqueles que ali, naquele formigueiro humano ou melhor dito, desumano, se mantinham alheios ao tumulto, às ambições, firmes nas tarefas, quantas vezes obscuras e desprezadas, de propagar as verdades da vida espiritual e exemplificar com extremos sacrifícios os ensinamentos de Jesus, o divino pastor do imenso rebanho humano!

Enquanto o movimento da cidade crescia de vulto com o assalto aos veículos de transporte, esses pensamentos transitavam-me pela mente, como nas telas brancas das fachadas iluminadas os anúncios e notícias que vinham de muitas partes.

Mas, subitamente, a vibração mental de Jeziel interveio, dominando-me as cogitações momentâneas:

– Estou à tua espera na portaria. Se te apraz, podes descer.

E, no mesmo instante, antes mesmo que respondesse, veio-me a mensagem amiga, jamais esperada, que me aqueceu o coração:

— Dentro de um instante também estarei contigo. Iremos juntos.

Duas mensagens de fraternal carinho que me encheram de pura alegria.

.3.
Reencontro

Por mais depressa que acudisse ao chamado, nossa amiga ainda nos antecedeu no salão de entrada.

E como era linda, meu Deus! De uma beleza imaterial, translúcida, luminosa e viva; e que felicidade sentia eu com a certeza do seu afeto! Com ele eu crescia sobre mim mesmo.

Tudo isso lhe disse no mesmo instante, perguntando:

— Vejo que estás muito acima de mim; olho e vejo a luz que te envolve; e por que, então, me distingues com tua atenção? E que valor tenho eu, para merecê-la?

Ela olhou-me demoradamente, séria e, vindo para junto de mim, tomou-me a mão e disse:

— Vem comigo e terás a resposta à tua pergunta agora mesmo.

E, num breve instante, rápido como a luz, subíamos de mãos dadas a escadaria majestosa de uma repartição do Etéreo, no cimo da qual penetramos em um grande vestíbulo, para o qual se abriram várias portas em semicírculo.

Não cheguei a perceber onde estávamos. Era uma sala amplamente iluminada, repleta de móveis próprios para fichários. Uma funcionária solícita nos atendeu logo e, entregando à minha companheira uma pasta amarela com fecho dourado, conduziu-nos a um gabinete isolado, à direita. Ali nos sentamos confortavelmente enquanto a funcionária se retirava.

Estendendo-me a pasta ela disse:

– Lê o que aí está e vê se compreendes.

Comecei a ler, extremamente curioso, e vi logo que se tratava de um capítulo, em continuação a outros anteriores, muito antigo. E a leitura prendeu-me logo. No cabeçalho estava indicado o nome de minha amiga e o documento era um relato sucinto de muitos anos de vida trabalhosa, sacrificada, torturada, mas sempre benéfica à coletividade, em todos os sentidos; vida que elevou aquele Espírito à culminância da colaboração nos setores altos, inclusive no Brasil, a futura Pátria do Evangelho, em cujo plano espiritual estávamos agora, quantos de nós, vivendo compromissos severos!

Antes mesmo de devolver a pasta, estava eu beijando-lhe a fímbria da túnica, mas sem compreender ainda a parte que me dizia respeito naquele relato edificante.

Como que lendo na minha mente aquela dúvida, ela acrescentou:

– Observa agora – e, ao dizer isso, acionou uma pequena alavanca que emergia de uma tampa envidraçada de um pequeno móvel corrediço, na forma de uma pequena mesa, que havia puxado para nossa frente.

Imediatamente, sobre uma estreita tela branca, começou a transitar uma espécie de filme colorido, mostrando paisagens estranhas, na aparência muito antigas, de um mundo diferente em que ela, a minha adorável companheira e um outro Espírito apareciam sempre juntos, episódio a episódio, vida após vida, através de milênios, desde a velha Atlântida, com a quarta raça legendária, lutando juntos, sofrendo juntos, ora encarnados ora desencarnados como pais, filhos, esposos, em muitos países diferentes e diferentes épocas da vida humana na Terra. E por fim os fatos de uma das últimas encarnações na Terra, que coroou sua vida espiritual.[3]

As figuras foram regredindo, fundindo-se umas nas outras apagando-se e permanecendo na tela somente os dois Espíritos, nós mesmos que ali estávamos, numa estreitíssima ligação de intimidade e de amor espiritual inalterável que durava milênios.

---

[3] Como regente de um pequeno reino na península itálica, no séc. XIV, recusou-se a assinar uma declaração de guerra, sendo sacrificada pelo povo desvairado.

Quando a tela escureceu e me voltei, seus olhos, muito lúcidos, luminosos e doces, me fitavam emocionados; e que dizer de mim? Descansei minha cabeça sobre seus joelhos e chorei de alegria e de incontida emoção. Aquele instante de felicidade compensava tudo o quanto houvera antes: esforços e frustrações, sofrimentos, terrores e mortes, para só deixar lugar àquela alegria tão rara que somente o coração poderia sentir, julgar, interpretar, valorizar, jamais a mente.

Disse ela:

— O homem nasce e renasce, morre e ressuscita na Terra; trabalha, sofre, constrói cidades, edifica seus lares e cria seus filhos e supõe que tudo isso são coisas sólidas, permanentes. Mas o verdadeiro lar, a verdadeira família, a verdadeira pátria só se encontram após a morte, nos páramos azuis do Espaço infinito. E com que alegria, quando, enfim livres, volitamos por ele para rever, ansiosos, rostos amigos, para estreitar ao coração entes queridos que as alternativas das reencarnações distanciaram às vezes, mesmo, diluíram no espaço e no tempo, sabe Deus desde quando!

— Vamos agradecer ao Senhor, alma de minh'alma, a felicidade deste momento, alegria deste reencontro, nestes planos abençoados de luz e de amor.

E silenciamos agradecendo até que ela exclamou de novo:

— Quantas vezes, séculos tormentosos nos têm separado, quando descíamos aos mundos densos, que exigiam afastamentos demorados! Mas, também quantas vezes, como agora, nossos corações bateram juntos, num mesmo ritmo de esperança e de temor, nos intervalos felizes! Muitos caminhos percorremos juntos e muitas lágrimas vertemos, de funda saudade e tristeza; mas, como sorríamos quando nos víamos de novo e de novo nos atirávamos aos braços um do outro!

— E agora — perguntei receoso — por quanto tempo viveremos ainda assim?

— O Senhor nos permite agora um estágio mais prolongado de repouso, após as últimas refregas que sustentaste na Terra, como seareiro fiel. Teus atos foram pesados e medidos e achados bons, e o prêmio é o repouso momentâneo e a certeza de tarefas mais importantes em seguida.

— E até quando essa agonia permanente de esperar?

— Enquanto o nosso planeta não se transformar em mundo regenerado.

— Haja paciência, então, mas, para mim, o prêmio esplêndido, muito acima do que possa merecer, és tu mesma, tua preciosa companhia, tua deliciosa presença, o gozo bendito do teu afeto.

— Não exageres assim — respondeu ela. — Acima de nós está o Senhor e para Ele é que devemos reservar o melhor de nossos corações e de nosso espírito.

Que o Seu nome seja louvado agora e para sempre. Repete comigo, meu amado, mais uma vez: que Seu nome seja louvado para sempre.

— · —

E pensei, com emoção, nos tempos em que estava encarnado quando, nos momentos de dificuldades ou de aflição – que eram muitos – voltava meus pensamentos para aquele mesmo Espírito amado que ali agora estava pedindo o auxílio que nunca faltava e como, de certa forma, me enviava mensagens de encorajamento, ternura e conselho.

– Agora que já sabes quais os laços que nos prendem um ao outro – tornou a sorrir – resta ainda alguma dúvida em teu Espírito?

– Sim, tenho ainda dúvidas. Sinto aborrecer-te, mas tenho.

– Quais serão?

– Basta olhar para ver: tua condição espiritual é muito superior à minha. Desvendaste-me agora um horizonte tão belo, por força deste amor que nos une, que não suportarei mais qualquer separação. Perder-me-ia na tristeza, se te afastasses novamente.

Enquanto falava, vi como o seu semblante decaiu, tornando-se séria e pensativa.

– Não é a primeira vez, como já vimos, que isto acontece; foram muitas as vezes, foi sempre assim, pois estas são alternativas da luta evolutiva. Considera também que há sempre diferenças entre condições evolutivas individuais. Mas posso afirmar que as tuas últimas atividades na Terra fizeram-te adiantar muito.

Depois, tomando-me as mãos carinhosamente ajuntou:

– Viveremos juntos aqui por algum tempo e depois a mão do Senhor nos indicará novos rumos e novas tarefas dignificantes, e para elas estás agora muito melhor preparado. Mas aquieta o teu coração e voltemos para junto de Jeziel.

Levantamo-nos e voltamos.

.4.
Novas Surpresas

No saguão de entrada reunimo-nos de novo e Jeziel nos apresentou a outros companheiros desencarnados, alguns de passagem, outros ali fazendo estágios de observação e estudo; e formando um grupo numeroso penetramos no grande salão de conferências, a essa hora já lotado, sobretudo pelos alunos da Escola de Aprendizes do Evangelho.

Permanecemos a um lado, observando, e pude notar desde logo a forma curiosa como se separam e como se apresentam nos agrupamentos humanos as diferentes esferas vibratórias: interpenetravam-se, sobrepondo-se umas às outras no mesmo espaço, cada uma conservando sua forma, coloração e tonalidade vibratória. Era um espetáculo interessante para ser visto.

O plano material, nos mundos encarnados, ocupa sempre, como é natural, a posição inferior e, daí para cima, as diferentes esferas se localizam segundo a natureza e elevação fluídica de cada uma e assim se agrupam dentro do panorama geral.

Veja-se como as cores se apresentam no arco-íris: cada uma na sua classe e na sua faixa vibratória e as faixas se interpenetrando umas nas outras pelas emanações áuricas.

Nos agrupamentos humanos os indivíduos se enquadram às faixas que correspondem à sua tonalidade vibratória individual e, somente depois das ligações feitas - no nosso caso, após a preparação e a prece da abertura – é que o ambiente se estabiliza, se acomoda à sua situação definitiva.

Curiosa também a disposição das entidades espirituais presentes no salão: todas agrupadas segundo as origens, as filiações comunitárias. Ali estavam hindus, bronzeados, com seus turbantes coloridos, fechados com broches reluzentes, calças estreitas e dólmãs caídos até quase em cima dos joelhos; chineses com túnicas amplas, botas enfeitadas com dragões de cores vivas e gorros escuros; guerreiros – os Cruzados de Ismael – com armaduras antigas e altos montantes; árabes com albornozes brancos e calções largos, fechados nos tornozelos; egípcios e tibetanos, com trajes característicos e os chamados "Filhos do Deserto", descalços, látegos na mão; índios americanos do norte, com penachos imponentes caindo até o meio das costas, e índios brasileiros, das mais variadas tribos, com seus arcos e flechas coloridas; e Incas do Peru, com seus símbolos solares no peito; e os "Irmãos da Esperança" em sua indumentária de franciscanos; e os ramatianos – da cruz e do triângulo – e as suaves entidades femininas que traziam uma cruz azul como emblema; e as do Trevo das Três Folhas, com túnicas coloridas e turbantes brancos e muitas outras, que ali se achavam lado a lado, imóveis, em profundo recolhimento, cada uma delas com seu dirigente à frente.

Imaginei comigo mesmo quantos dos encarnados ali presentes não pertenceriam também àquelas fraternidades!

— • —

Ao penetrar no salão percebemos o índice de pureza vibratória da assistência, pois grande parte de seus membros se ligava diretamente às faixas altas do nosso próprio plano espiritual, eliminando, quase, a fronteira que separa o mundo espiritual do terreno. Percebendo nossa admiração, a gentil companheira explicou:

– Por que se admiram? Estamos em reunião privativa de uma fraternidade de iniciação popular espírita[4], e o ideal do discípulo é o esforço pela Verdade Maior. O

---

[4] A Fraternidade dos Discípulos de Jesus é constituída pelos alunos que, tendo concluído a Escola de Aprendizes do Evangelho com aproveitamento, solicitam ingresso nessa fraternidade como forma de cooperar ativamente para a predominância da moral evangélica na Terra, através de exemplos dignificantes e trabalhos para o bem dos semelhantes. (Nota da Editora)

que fazem para se evangelizarem é realmente comovedor e, quando se reúnem como hoje, em atos de maior elevação mental, vibram intensamente, produzindo os efeitos maravilhosos que tanto nos surpreendem.

– Sim – responderam alguns – realmente nos surpreendemos; não por ignorarmos a existência desta Fraternidade de Discípulos cujo nome repercute bem alto no céu, mas por ter avançado tanto e por desconhecermos sua organização e métodos de trabalho.

Outro disse:

– Tenho acompanhado mais de perto seus trabalhos e posso atestar que os métodos são originais, altamente espiritualizantes.

Mas antes que o diálogo prosseguisse, nossa atenção foi desviada para a tribuna, onde assomara uma figura simpática e austera, ao mesmo tempo em que o dirigente do trabalho se preparava para iniciá-lo.

Desde o início notamos também diferenças de sistema em relação a outros que conhecíamos, de outras casas semelhantes. O dirigente, como anunciou, iniciava a preparação para a abertura, pedindo um recolhimento que já valia como poderosa concentração dada, sobretudo a disciplina e a capacidade mental demonstradas pelos aprendizes. Proferiu uma ligeira alocução sobre a natureza dos trabalhos de vibrações, reiterando instruções anteriores e reafirmando como os trabalhadores do Plano Espiritual necessitavam, para a realização de suas tarefas de assistência, principalmente nas esferas inferiores, daquele imenso cabedal de fluidos e ectoplasma que ali se formava; referiu-se, em seguida, às Fraternidades do Espaço que mantinham ali contingentes seus devidamente especializados, como preciosa colaboração aos trabalhos da Casa e convidando por fim a assistência a fazer-lhes a saudação devida, cantando a Prece dos Aprendizes.

E, no silêncio profundo reinante soaram, então as, notas do acompanhamento melodioso e as comoventes palavras da prece:

Pai Celeste, Criador,
Fonte eterna de bondade;
Auxilia-nos, Senhor,
A conquistar a verdade.

Abençoa o nosso esforço
Para o teu reino atingir;
Dá-nos, Pai, a luz que aclara
Os caminhos do porvir.
És a glória deste mundo,
És a paz e a esperança;
És a luz que não se apaga
És o amor que não se cansa.

Dá-nos força para sermos,
Os arautos do teu amor;
Testemunhos verdadeiros
Do Evangelho Redentor.

Enquanto o canto se evolava numa poderosa vibração de fé, víamos como o ambiente trepidava de fluidos e se acendia de luzes multicores e como do Alto, uma verdadeira chuva de pétalas de flores caía como uma dádiva e uma bênção reconfortante, que era absorvida por todos.

O Dirigente deu a sessão por aberta e anunciou seu prosseguimento: vibrações especiais pela paz do mundo, para os criminosos e deserdados, para os incrédulos, para os lares desajustados, para os trabalhadores honestos, para os desviados do caminho reto na trama terrível do mundo material. Era como um fogo de artifício, as vibrações coloridas dali partindo em todas as direções, entremeadas de raios multicores.

Em seguida foram feitas as ligações com os Planos Superiores e o Dirigente solicitou o apoio espiritual de Jesus para o prosseguimento, na pessoa do orador da noite, a quem passou a palavra, declarando encerrada a primeira parte da reunião.

O Orador levantou-se e permaneceu silencioso alguns momentos, fitando a assembleia, como a querer gravar na memória seu aspecto alentador e respeitoso; depois, iniciou, saudando e explicando que assumira o compromisso de realizar um curso rápido sobre assunto de sua escolha e que, para não interferir ou antecipar matéria de programa ainda não executado, preferiu fazer um retrospecto da evolução da humanidade terrestre desde os tempos primitivos até os nossos dias, matéria já selecionada na Escola mas, à qual tinha a esperança de acrescentar detalhes não revelados, trazendo subsídio novo e, assim, tentando emprestar ao seu trabalho alguma utilidade no campo do esclarecimento doutrinário.

Com esse preâmbulo simples e modesto, desde logo captou a simpatia do auditório e vimos bem como os pensamentos, concordantes e amorosos, de todos os lados do salão, convergiram para ele.

E então iniciou sua dissertação, expondo a matéria, parte da qual motivou a publicação deste livro, num resumo que transcrevemos com mais amplos detalhes, para mais fácil entendimento.

.5.
Civilizações Remotas

Os primeiros agrupamentos humanos tiveram lugar em dois continentes desaparecidos há milênios e cuja existência é até mesmo contestada pela História Contemporânea, a saber:

A Lemúria, ao sul da Ásia onde, como já sabemos, encarnou a Terceira Raça, a única verdadeiramente autóctone, porque foi a primeira a habitar a Terra, tendo recebido na tradição espiritualista a denominação de Pré-Selenita, porque existiu antes que a Lua surgisse como satélite do planeta.

A Atlântida, situada no Oceano Atlântico, entre a Europa, África e América atuais, onde encarnou a Quarta Raça, já mais evoluída, apresentando a constituição humana já completada, tanto na forma física como na psíquica.

Em relação aos lemurianos não se pode falar em conhecimento religioso propriamente dito, porque não existia. Os seres humanos naquelas remotas eras estavam ainda na fase constitutiva de si mesmos, apurando e consolidando as formas do corpo físico e, somente em circunstâncias especiais críticas, ante a fúria dos elementos naturais desencadeados quase que permanentemente, voltavam-se para a ideia de um poder invisível, maior que aquele que tinham sob as vistas, ao qual pudessem atribuir a criação do mundo.

No continente, assolado ainda, no primeiro período que durou milênios, por erupções vulcânicas generalizadas e intempéries marítimas e aéreas, o maior esforço do Espírito Missionário protetor da raça que ali desceu, foi de preservar o homem, ensiná-lo a defender a vida e os meios de alimentar-se – aliás bastante precários porque as águas invadiam as terras constantemente em quase todas as partes; agasalhar-se em lugares altos, no interior de montanhas; agrupar-se formando tribos, num simples esboço de organização social primária.

No segundo período, quando o afastamento das águas permitiu a descida para as planícies, o trabalho do Missionário que veio depois foi, sobretudo, fixar o homem à terra, guiá-lo para a vida pastoril, da qual não passou, aliás, até o fim da vida do continente.

Esse continente desapareceu após terem os homens desenvolvido, em um grau inicial, a consciência e a capacidade de raciocínio.

Remanescentes desse povo ainda existem na Índia, na África, na Austrália e na Polinésia, mas sempre em estado primitivo, incompatível com a civilização do planeta; povos bárbaros que, em matéria de religião, ainda se encontram na fase primária do totemismo.

Os homens da civilização atlante adoravam o Sol e os astros, os animais e a Natureza em todas as suas manifestações, formando cultos politeístas, que os Protetores Espirituais da Raça toleravam até certos limites, conquanto já houvesse, nos santuários e nos templos, organizações sacerdotais que rendiam culto a um Deus Único – Átman, o Grande Espírito – como fruto do trabalho dos Missionários que ali encarnaram por duas vezes, a saber: Anfion, que criou a Fraternidade dos Profetas Brancos, e Antúlio, muito depois, que fundou Escolas de Sabedoria em vários lugares.

Os atlantes multiplicaram-se formando uma comunidade de nações poderosas e estabeleceram colônias, sobretudo no leste, as quais, após o desaparecimento do continente, desenvolveram-se e expandiram-se com o afluxo dos refugiados, sobretudo na zona do atual Mediterrâneo, ao norte da África e ao sul da Europa, formando os núcleos de vários povos antigos como, por exemplo, os portucalenses, iberos, celtiberos, vascos, geriontes os quais, mais tarde, mesclados com os pelasgos – gregos – concorreram à formação da Europa atual como também deram raízes etnográficas aos berberes, tuaregues, líbios, núbios e etíopes.

A transferência para o Mediterrâneo dos arquivos referentes às conquistas dessa civilização nos campos da ciência e da religião são, em forte resumo, o tema fundamental deste livro que também visa recapitular e complementar conhecimentos constantes de outras obras de pré-história publicadas pelo Autor.[5]

---
[5] *Almas Afins* e *Os Exilados da Capela*, Editora Aliança.

.6.

A Morte de Um Continente

Nos últimos tempos da Grande Atlântida, degenerara de tal forma a utilização dos conhecimentos espirituais, que a crença em um Deus Único ficou obscurecida pelas práticas da magia negra, pelo culto dos deuses mitológicos e pelos interesses de ordem puramente material.

O surto de mediunidade que naquela época houve como, na Palestina, séculos depois, com Jesus e, em nossos dias, com o Espiritismo, não atingiu a sua meta e desviou-se para caminhos de perdição.

Nenhuma atitude se tomava, nenhuma decisão; não se empreendia uma viagem, nem se montava um lar, ou um corpo se amortalhava, sem audiência prévia de sacerdotes, magos, adivinhos, feiticeiros e necromantes.

Os ódios se multiplicavam, como as ambições mais desvairadas, pelo uso imoderado dos poderes das trevas. Disputas intermináveis entre famílias e tribos, assassinatos e vinganças pessoais ocorriam por toda parte.

E por fim os povos das diversas províncias passaram a aniquilar-se em guerras de extermínio, por influência desses poderes terríveis e aniquiladores que visavam, como sempre, desviar os homens dos caminhos retos da evolução espiritual.

Os sacerdotes do Deus Supremo, no silêncio dos seus templos suntuosos, julgavam-se impotentes para impor novos rumos às multidões e muitos deles ficaram, mesmo, mancomunados com essas forças de corrupção.

Eram os guias legítimos e espirituais do povo que cegamente sempre os obedecera, mas quando se deixaram dominar por essas forças, entraram a competir uns com os outros pela posse de poderes sempre maiores e assim se entregaram definitivamente às algemas das trevas.

Desprezando as advertências do Plano Espiritual, lançaram-se também à prática de atos condenáveis, que abriram caminho à conquista dos templos pelas forças das trevas.

E quando, enfim, crescendo o perigo, quiseram voltar atrás, já não o puderam fazer, verificando, ao mesmo tempo, que sua influência sobre o povo havia desaparecido.

E o terror aumentou ainda mais quando constataram que o intercâmbio com o Plano Espiritual se deslocara das esferas da luz para as das trevas e que, na realidade, haviam se transformado, eles mesmos, em agentes dessas forças aniquiladoras.

O epílogo dessa situação desesperada foi o afundamento do Grande Continente, de cujos habitantes 60 milhões morreram no mar; alguns milhares alcançaram as terras que se elevaram a oeste na América, formando os povos maias, astecas, toltecas, incas e outros; parte alcançou a região norte do globo, francamente habitável e mais tarde transformada em zona glacial por efeito do desvio do eixo da Terra; parte refugiou-se nas colônias atlantes já existentes, a leste, como já vimos, e a última parte, a mais sã, salvou-se, incólume, na província centro-oriental do continente, que não submergiu e que veio a formar a Pequena Atlântida.

—·—

No afundamento do Grande Continente um enorme cometa entrou na atmosfera do globo provocando erupções vulcânicas, abrasamentos, incêndios, maremotos, atraindo a massa oceânica de água a alturas de centenas de metros sobre o nível normal, conforme consta da tradição egípcia antiga, denominada "Mito de Typhon" e da grega, do Faetonte.

O cataclismo atlante atingiu também parte do sul do continente americano, provocando o levantamento da cordilheira dos Andes com tudo o quanto havia à sua superfície, como demonstram de forma concludente ruínas de cidades como, por exemplo, as de Tiuanaco, que ainda hoje existem em pontos quase inacessíveis da cordilheira, no Peru e na Bolívia.

É fora de dúvida que a aproximação de qualquer astro pode produzir catástrofes e, com a aproximação maior desse cometa, que invadiu a atmosfera da Atlântida, inúmeros fenômenos desastrosos se verificaram, culminando com o afundamento.

Segundo cálculos de autores respeitáveis, basta que um cometa, por exemplo, se aproxime a menos de 5 mil quilômetros da superfície da Terra para esvaziar os oceanos e projetar suas águas sobre as terras, em ondulações de mais de 4 mil metros de altura, que bastam para cobrir montanhas.[6]

Como demonstração do poder atrativo da massa dos astros basta dizer que em 1835 o cometa Halley aproximou-se perigosamente da Terra; o diâmetro de sua cabeleira media 560 mil quilômetros, enquanto o da Terra não passa de 12 mil quilômetros[7]; com estes números bem se pode imaginar a influência que a massa do cometa pode exercer sobre as terras e as

---

[6] O cometa Halley teve sua maior aproximação da Terra em 11 de abril de 837, com 6 milhões de quilômetros.

[7] O seu núcleo, atualmente, tem dimensões estimadas de 9 x 15 km. Em sua aparição, em 1910, apresentou uma cauda de 110 milhões de quilômetros. (Nota da Editora)

águas do nosso globo, desde que ultrapasse essa distância calculada.

Em sua segunda visita, em 1910, que muitos homens idosos de hoje lembram-se de terem presenciado, conservou-se mais distante[8], mas, mesmo assim, aterrorizou muitas regiões do globo.

Por outro lado a crosta da Terra é extremamente delgada, não passando de sessenta quilômetros de espessura, o que corresponde a um centésimo do raio terrestre. Guardadas as devidas proporções, a crosta compara-se a uma tênue casca de ovo sendo, portanto, suscetível de romper-se com a queda em sua superfície de partículas cósmicas que, periodicamente, sobre ela se projetam, muitas vezes abrindo crateras enormes, de centenas de metros de diâmetro e profundidade, por pesarem milhares de toneladas.

Um aerólito caído na Sibéria em 1908, foi visto à uma distância de 600 quilômetros, ouvido a 1.500 e provocou tamanho deslocamento de ar que derrubou homens, animais e prédios, num raio de 700 quilômetros do ponto de queda.

Na Atlântida, nas duas vezes, foi o que aconteceu, isto é, essas duas ordens de fenômenos produziram cataclismos fatais, mas não por acaso, como é óbvio, mas como programação do Plano Diretor Cósmico, visando o afundamento do continente e o extermínio

---

[8] Cerca de 8 milhões de quilômetros. (Nota da Editora)

de grande parte daquela humanidade, pelos motivos que estamos expondo.

—·—

Efetivado, pois, o primeiro afundamento e localizados os seres remanescentes nos pontos a que nos referimos, o tempo transcorreu e a vida retomou o seu curso, apagando as lembranças, as emoções e o terror coletivo, gerado pela catástrofe; e a Pequena Atlântida sobrevivente, floresceu e, por sua vez, tornou-se o **hábitat** de um grande povo, do mesmo povo, que se refez como nação, tornando-se também poderoso e influente no mundo do seu tempo.

A Tradição Grega

Falando sobre a Atlântida não se pode deixar de fazer referências ao genial mestre grego Platão, discípulo de Sócrates e precursor do Cristianismo[9] que, nos seus famosos diálogos de Timeu e Crítias, oferece interessantes detalhes a respeito, dizendo que Sólon – o legislador de Atenas e um dos sete sábios da Grécia – mais ou menos no ano 600 a.c. viajou para o Egito e esteve em Saís, cidade situada no Delta do Nilo,

---
[9] O autor refere-se aos estudos morais desenvolvidos por Sócrates e Platão, muito semelhantes a moral cristã, conforme estudo de Allan Kardec na Introdução de *O Evangelho segundo o Espiritismo*.

que havia sido capital do faraó Amés – o Amasis dos gregos – rei da 26ª dinastia, cidade essa construída pela deusa Neit, em cujo templo esteve se instruindo.

Em conversa com sacerdotes desse templo soube que, para os lados do ocidente, havia uma grande nação, de clima ameno e estável e onde não havia inverno.

Suas costas marítimas possuíam formações rochosas de várias cores e sua religião era o culto do Sol e de Poseidon – o deus grego do mar e o Netuno dos romanos.

Na capital Poseidônis – a cidade das portas de ouro – havia grandes praças das quais irradiavam ruas largas e grandes canais em perfeita simetria.

As fortificações ao seu redor eram cobertas de folhas de cobre e de oricalco, metal brilhante como o ouro, como também os templos e palácios. Uma estátua altíssima, no templo principal, representava Poseidon dirigindo seis cavalos alados e, por fora, era rodeado de estátuas de ouro e marfim representando os reis e as rainhas atlantes.

Poseidônis era edificada sobre as encostas de três montes que correspondiam às três pontas do tridente do deus e defendida por três ordens de fossos e altíssimas muralhas.

O governo era teocrático, isto é, seus chefes eram representantes do deus, o mesmo sucedendo com os sacerdotes, cujos poderes eram ilimitados.

O primeiro rei desse povo foi Atlas e tão considerável era a importância dessa nação que criou-se, mais tarde, o mito de Atlas – o deus filho de Júpiter – que sustentava o mundo nos ombros.

Estes foram, entre outros, os dados fornecidos pelos sacerdotes de Saís, baseados em manuscritos que declararam possuir; cálculos posteriores davam à Pequena Atlântida a superfície de 204.880 quilômetros quadrados.

Para muitos, estas informações não têm valor histórico, mas é certo que Platão possuía alto senso de justiça e sabedoria e também é certo que os egípcios descendiam dos atlantes, oriundos de suas antigas colônias do norte da África.

.7.

O Mosteiro de Astlan

Vários milênios haviam passado desde o afundamento do Grande Continente e, na Pequena Atlântida, a vida se tornara, aos poucos, uma reprodução exata do que fora a antiga nação: o mesmo povo, os mesmos vícios, os mesmos instintos de violência, dominação, as mesmas mortais ambições de predomínio material que pressagiavam, em consequência, o mesmo fim doloroso e inglório.

—.—

Em um promontório alcantilado sobre o oceano, na costa oriental, ponta granítica nua de vegetação, que avançava dois quilômetros sobre as águas revoltas e onde o sol concentrava livremente seus ardores, erguia-se uma sólida e majestosa construção de três corpos sobrepostos; o aspecto geral era o de uma pirâmide truncada no vértice, com um grande terraço aberto para o céu, em um de cujos lados se erguia um altar de pedra rústica de pequena altura ante o qual, duas vezes por dia, os sacerdotes faziam as cerimônias do culto ao Sol.

Vindo-se do continente, através de uma larga avenida pavimentada de pedra, percebia-se que a edificação se projetava sobre o mar, na extremidade de uma península.

Era o Mosteiro de Astlan, o templo mais famoso e respeitado do país, construído sob a inspiração de Antúlio, o missionário sacrificado, que encarnava as aspirações religiosas do povo mais evoluído e diretamente ligado aos emigrantes capelinos.

— ■ —

Nos últimos tempos, a vida do mosteiro começou a ressentir-se de um mal-estar indefinido, de uma ansiedade cuja causa a maioria dos sacerdotes e servos ignorava; nos gestos, nos olhares, nas palavras, algo de incerto, flutuante, existia, vibrava no ar, alterando a rotina da vida comum como se pairasse na atmosfera um terror, uma ameaça indefinida, mas sentida por todos e jamais localizada.

E aqueles que iam à cidade próxima, a passeio ou a serviço do mosteiro, também percebiam nos olhos da multidão e nas suas atitudes, as mais simples, os mesmos sinais dessa ansiedade inexplicável.

Os magos adstritos à governança do país perceberam estranhos fenômenos no céu como, por exemplo, um pequeno astro, dos mais próximos e que servia de satélite, que começou a aumentar de brilho de forma inexplicável, ao mesmo tempo em que corriam notícias de tremores de terra em vários pontos do continente.

As chuvas foram cessando e aumentando o calor, iniciando-se um período de secas terríveis, ao mesmo tempo em que as fontes de água públicas e particulares começaram a diminuir a olhos vistos.

E então surgiu no céu um cometa que se aproximava, crescendo de volume e de brilho com extrema rapidez; surgiu na constelação de Câncer e em poucos dias ocupava mais da metade do céu, enchendo-o de um fogo rutilante, enquanto o astro satélite, que havia desaparecido, explodiu no espaço, projetando enormes fragmentos sobre a terra e o mar. E, à medida que o cometa crescia de vulto, o oceano ficava cada vez mais encapelado, parecendo saltar do leito imenso.

O grande rio que atravessa a região, de norte a sul, foi também decrescendo rapidamente de volume, e ventos ásperos sopravam rente ao chão, vindos de sudoeste, levantando detritos e cobrindo vastas áreas como um nevoeiro fechado de pó causticante.

Quando os sacerdotes, no cimo dos terraços, realizavam à tarde o culto ao deus Sol (tradição jamais quebrada), o disco solar se mostrava sangrento, hostil, aterrorizador e, nas manhãs, quando se levantava no horizonte, para o lado do mar, notavam como ele tinha uma cor amarelada duma luz mortiça e queimava como fogo.

E quando o rio ficou reduzido a um filete pútrido e as últimas fontes secaram em todo país[10] sobrevieram o terror e o desespero, e as multidões convergiram para o mosteiro, comprimindo-se na larga estrada fronteira, enchendo-a de ponta a ponta homens, mulheres, crianças, famintos, sedentos, sujos, desvairados, acossados pelo desconhecido, pelas moléstias que já se espalhavam por toda parte, sem remédio ou possibilidade de socorro, morrendo centenas deles por dia.

Como um rebanho amedrontado assediavam o grande templo para ouvir a verdade da boca dos sacerdotes e receberem orientação e socorro.

Mensageiros vindos de lugares distantes informavam que o país inteiro estava atingido pelos mesmos acontecimentos nefastos, e não havia lugar algum onde pudesse alguém refugiar-se para se livrar daqueles males.

— ▪ —

Em Poseidônis, a grande capital, o pânico se dera ainda mais cedo; lavravam a fome, a doença, o

---
[10] Vide obra do mesmo autor, *Almas Afins*, Editora Aliança.

terror e a morte. Ali também o templo do deus Sol estava repleto dia e noite e os sacerdotes, impotentes até mesmo para sossegarem o povo, explicando o que ocorria, fugiam disfarçados para lugares ermos, para se salvarem da fúria das multidões.

As oferendas aos deuses eram inúteis e o disco de luz estava ficando quase invisível sob a cortina espessa de nuvens avermelhadas, que o afogueamento da atmosfera impedia de transformar-se em chuva, e abrasavam como fogo, na terra e no céu.

O solo estava rachando em inúmeros lugares e das fendas abismais subiam vapores espessos, sufocantes, que se evolavam para os céus, tomando-o cada vez mais baixo, aumentando assim enormemente o peso da atmosfera, fazendo a respiração ficar cada vez mais difícil e angustiante.

Um pó quente e cáustico entrava pelas narinas e pela boca matando por asfixia, enquanto o oceano enfurecido precipitava-se para dentro das terras destruindo as colheitas, o gado, as águas potáveis acumuladas em baixios e todos os demais meios de subsistência.

Tempestades aéreas crivadas de relâmpagos golpeavam a terra de forma súbita e de curta duração; e chuvas torrenciais carreavam da atmosfera toneladas de detritos e pó vulcânico, projetando-os sobre os campos, as ruas, as casas, formando uma lama mortífera e repugnante que, em alguns lugares, atingia metros de altura na extensão de quilômetros.

E nas praias todos viam como as ondas rugiam amea-çadoras, precipitando-se em monstruosas vagas sobre as escarpas mais altas, submergindo tudo o que encontravam pela frente.

Assim o recurso da pesca também desaparecera pela fúria ininterrupta das águas, e a fome levava os homens a cavar o chão em lugares mais afastados, onde as árvores ainda não haviam secado, para devorarem as raízes, já indiferentes aos animais ferozes que, aos bandos, galopavam pelos prados e florestas desfolhados.

E, por fim, desvairados disputavam também ferozmente entre si, matando-se uns aos outros nas ruas e nas casas, para saciarem a fome.

—•—

Mas ainda estava longe o desfecho de tanta calamidade; em toda a vasta região assolada, desfeitos os laços da disciplina, da ordem e da autoridade de governo, passou a reinar a mais franca anarquia, o mais terrível salve-se quem puder. E as cidades se despovoaram e os campos ficaram entregues à fúria das multidões desesperadas e famintas.
E não havia para quem apelar.

Foi quando então se lembraram de realizar, por si mesmos, preces coletivas, o que passaram a fazer ao ar livre, imprecando aos deuses, invectivando-os, pedindo socorro, blasfemando e amaldiçoando-os por não terem resposta, já desesperançados e quase sem forças para abrir a boca, enquanto inúmeros outros, com suas mulheres e seus filhos arrastados pelas mãos, e velhos quase conduzidos às costas, caminhavam firmes para dentro do mar, enfrentando os altos vagalhões em busca de uma morte menos dolorosa.

Todavia, em toda a vasta região existia ainda um refúgio que se mantinha de pé, incólume, funcionando mais ou menos como de costume, atendendo a todos dentro dos limites do possível, oferecendo o consolo da orientação e dos conselhos sensatos e viáveis, chamando a atenção para o significado espiritual e punitivo dos acontecimentos, e recomendando o abandono dos falsos deuses, a volta para o Deus Supremo, cuja misericórdia era infinita: era o Mosteiro de Astlan.

Apesar de assediado dia e noite pela multidão ululante, surda e insensível a qualquer advertência e incapaz de qualquer sentimento de conformação, ainda reinava ali, dentro das altas muralhas de pedra escura, relativa ordem e disciplina.

— • —

Dias antes, quando esses acontecimentos entraram em fase de agravamento, o grande gongo fora vibrado de manhã, três vezes seguidamente, após o culto matinal ao Deus Luz[11], que tinha lugar quando o disco iniciava seu giro, emergindo sobre as águas no horizonte longínquo. Um toque de gongo comumente bastava em situações normais para a convocação de sacerdotes, auxiliares, noviços e servos, ao grande recinto central cavado na rocha viva da escarpa; mas aquele apelo feito três vezes seguidas naquela manhã, conquanto dependesse ainda da confirmação final de praxe, encheu a todos de angustiante expectativa; compreendiam, ou melhor, sentiam que algo importante, decisivo, iria acontecer.

E o sinal de confirmação veio logo, à hora da prece vespertina, quando o disco se encobria por detrás do maciço majestoso do Apotec; todos viam a chama bem visível do archote, tremulando ao vento, no topo da torre central e se dirigiram ansiosos, sem mais delongas, para a cripta do Templo.

— • —

Era um amplo recinto em forma de meia-lua, escavado na rocha dura, sobre a qual estava edificada a parte central do mosteiro.

Acompanhando o semicírculo havia dezenas de

---

[11] Conforme outra obra do autor, *Almas Afins*, a adoração de Deus apoiava-se no simbolismo da luz solar como demonstração da bondade divina, que diariamente assegura a vida humana na Terra, não significando que a religião atlante tivesse caráter politeísta ou fetichista. (Nota da Editora)

assentos, também escavados na rocha, como nos anfiteatros, uns acima dos outros, acompanhando o aclive do chão, que subia no sentido das paredes exteriores e, no sentido oposto, desciam para uma plataforma larga, equidistante das extremidades opostas da meia-lua.

Nessa plataforma viam-se também assentos amplos escavados nas saliências das rochas, e aos lados, embutidas nas paredes, escavações superpostas em prateleiras, para a guarda de apetrechos destinados ao culto e vestuários utilizados pelos sacerdotes.

O assento central estava vazio mas, sobre a plataforma, já se encontravam vários sacerdotes oficiantes do Templo. Correndo os olhos pelo amplo recinto via-se que já se achava lotado, muitos dos presentes se acotovelando, de pé, pelos cantos e pelos vãos livres entre os assentos.

Havia uma expectativa muito intensa, que a todo instante aumentava, criando uma atmosfera vibrante, angustiosa, opressiva, que somente decaiu quando o mais idoso dos sacerdotes presentes tomou a palavra. Era Anco, o encarregado dos arquivos, respeitado pela sua bondade e sabedoria.

— Assim como vós, meus irmãos, também fomos surpreendidos pelos chamados insistentes do venerável grão-sacerdote, senhor deste Templo. Sabemos que a situação do país é grave, muito grave, mas ignoramos as razões desta convocação fora do comum. Aguardemos com calma e confiança sua respeitável presença, que não deve tardar e, enquanto isso, formulemos nossas preces ao Senhor da Luz para que o destino do país e do povo não sejam de infelicidade maior.

Ainda soavam suas últimas palavras quando, de uma fenda da parede da rocha, que servia de entrada para o recinto, surgiram duas majestosas figuras que se dirigiram diretamente para o centro da plataforma. Ambos quase da mesma estatura, elevada e imponente, longas barbas cobrindo o peito, com turbantes brancos de pontas caindo para as costas, túnicas brancas descendo até os tornozelos e, sobre o peito esquerdo, uma estrela dourada de cinco pontas – o emblema do Sol. À frente vinha Morevana, o senhor do Templo, precedendo Astério, o chefe supremo da comunidade religiosa e cuja vida, naqueles dias tristes, era a de um nômade, percorrendo incessantemente o país de extremo a extremo para orientar o sacerdócio e o povo sobre o culto verdadeiro que, nos últimos tempos, estava se extinguindo nos meandros sombrios e impuros dos cultos amaldiçoados.

— ■ —

Enquanto passavam, os sacerdotes menores abriam espaço e se mantinham inclinados, braços estendidos para baixo, mãos sobre os joelhos, na atitude de alto respeito devido aos reis.

Logo em seguida todos os braços se ergueram para o Alto, acompanhando Morevana, quando este iniciou a sua invocação.

— Senhor Supremo, luz do mundo, venerável doador da vida; eis-nos aqui prostrados a teus pés, escravos de tua soberana vontade, prontos a obedecer no que ordenares. Vemos, Senhor, que os elementos naturais, que obedecem às tuas leis sagradas, estão desencadeando desgraças, porque os homens te ofenderam e abandonaram o teu culto verdadeiro e se aprazem na violência e na corrupção e se entregam aos ritos malignos e tenebrosos dos seres das trevas. Sentimos tua mão poderosa pesando sobre nós, Senhor, e esperamos, entristecidos, os golpes justos da tua santa ira. Se te for possível, oh! Deus poderoso, rogamos-te que preserves este povo, para que a semente da civilização atlante não desapareça, e haja tempo, Senhor, de voltarem ao teu culto sagrado de adoração santificada, todos aqueles que por desvairamento se afastaram dele.

Os braços baixaram, repousaram, mas tornaram a levantar-se logo, numa invocação muda para os céus, quando Astério se moveu do seu lugar e bradou alto:

— Dá-nos a tua palavra, Senhor, pois que os teus servos te obedecerão fielmente. Fala-nos na tua língua sagrada, para que nos orientemos e possamos guiar o povo nas horas terríveis que sabemos que se aproximam.

Depois dessas invocações, vibrantes e incisivas, todos aguardaram em profundo silêncio, percebendo que alguma coisa muito grave deveria acontecer ali naquele momento. Esperavam com o coração batendo forte, até que Morevana falou de novo:

– Sacerdotes de diferentes graus, noviços, auxiliares e servos. Ouvi-me com calma e atenção. Convoquei-vos para revelar fatos terríveis e aguardar a palavra do Senhor traçando nosso destino final.

Pelos canais sagrados da inspiração temos recebido, de longa data, advertências e instruções sobre uma calamidade dolorosa e fatal que se desencadeará sobre este país, como castigo da maldade, dos erros, da degeneração dos costumes e do desprezo do povo às advertências paternais, porém, enérgicas e irrecorríveis, que têm sido feitas pelo Grande Espírito porta-voz do nosso Deus Supremo. Ordens e instruções temos recebido e transmitido ao povo, na forma de conselhos e ensinamentos, tanto pela minha boca como, principalmente por parte do venerável Astério aqui presente, que as proclamou por toda parte por onde tem andado neste país, sem descanso.

Mas, quem as ouviu? Quem as respeitou?

Sacerdotes e servidores, não haverá mais advertências agora. O Senhor é que nos convoca a todos para esta noite, e nos indicará o que resta fazer de nossa parte; os caminhos que devemos seguir, como remediar a nossa situação de fracasso e terror.

Tendo, como temos, perante nossos olhos, a história já conhecida do afundamento anterior da parte mais considerável e mais rica de nossa nação, confrange-nos o coração verificar que persistem e se repetem os mesmos motivos anteriores e que agora nos colocamos novamente à beira de insondáveis abismos de perdição.

Qual de nós deseja um futuro tenebroso como esse? Ninguém.

Prosternemo-nos todos e humildemente aguardemos a palavra do Senhor de nossas vidas.

—·—

Todos obedeceram onde estavam, com as mãos nos joelhos, o corpo curvado, a cabeça baixada para o solo; todos, menos um deles, o sacerdote menor Tlotac, que permaneceu de pé, hirto, olhos fechados como em transe, e no grande silêncio que pesava sobre o recinto, uma luminosidade dourada foi-se espalhando aos poucos, vinda do Alto, como que se infiltrando através do teto rochoso; e a luz foi-se condensando no centro da plataforma, junto a Morevana, tomando forma, assemelhando-se, de início, a um oval alongado para cima e, logo depois, a uma criatura humana, cujos braços e formas se foram detalhando com rapidez mostrando, por fim, a figura imponente e majestosa de um sacerdote de elevada estatura, longas barbas quadradas, olhos fulgurantes como sóis.[12]

Trazia indumentária própria dos grandes sacerdotes, a túnica branca, a capa vermelha, curta, cobrindo os ombros, o turbante de três pontas com fitas de várias cores caindo pelas costas.

De pé, imóvel, os braços amplamente abertos como a querer abranger o vasto recinto atento, em voz forte, metálica, porém harmoniosa, falou:

– Levantai vossas frontes, meus filhos e anotai as últimas ordens do Senhor da Luz: no terceiro giro do astro sagrado, quando a noite cair e a luz remontar o horizonte, vinda do mar, completai a carga de vossos barcos, em número de sete; embarcai alimentos para um tempo de quarenta sóis; embarcai todos que aqui se encontram e mais aqueles que vosso chefe Astério arrastou para cá e são vossos hóspedes.

Ao todo sereis duzentos homens e no barco piloto, onde irão vossos chefes, Morevana e Astério, levareis os manuscritos já separados neste mosteiro por ordem nossa e que resumem a doutrina religiosa que o Senhor determinou fosse cultuada por vossos antepassados e que ultimamente vem sendo desprezada.

---

[12] A descrição do fenômeno corresponde à materialização de um espírito desencarnado, estando o sacerdote menor na condição de médium doador de ectoplasma, conforme outras obras do autor, entre elas *Mediunidade*. (Nota da Editora)

No terceiro giro do astro, nessa noite, quando a lua surgir no nascente das águas embarcareis, meu filhos, e vos fareis ao mar.

Leio em vossas mentes a ansiosa pergunta: para onde iremos? E a resposta é esta: na direção do nascente, pela rota que o Senhor vos traçar, nos seus altos desígnios e que na ocasião sabereis.

Outros como nós escaparão das calamidades que vão surgir, mas a vós cabe preservar o patrimônio espiritual, recebido e cultuado por vossos ancestrais; a herança do Senhor, a ser transmitida a outros povos, outros homens e outras raças, em outros lugares do vasto mundo. Com as vossas almas respondereis por esse precioso legado.

Paz convosco e louvado seja o Senhor na sua misericórdia e sabedoria.

A figura desfez-se, a luz apagou-se e somente a chama rubra dos archotes, cravados em argolas de ferro nas paredes de rocha nua, iluminava o vasto recinto. Morevana levantou-se e disse:

– Compreendeis agora todas as ordens que vos têm sido dadas? Chegou pois, o momento da ação decisiva. Os mais idosos entre vós sabem quem falou: Xelu, a quem sucedi, há muito tempo, no governo deste Templo e desta comunidade da qual fazeis parte. Seu grande amor por este templo fê-lo agora intérprete da palavra do Senhor. Que seu Espírito prossiga conosco, guiando e protegendo a nossa rota, seja ela qual for.

Edgard Armond

E agora devotemo-nos ao trabalho: carreguemos os barcos em rigoroso silêncio e cada um leve os objetos e vestuários de seu uso e cargo. Cerrem as portas exteriores e que ninguém entre nem saia, até que a hora da partida vos seja anunciada pelo gongo central da torre.

. 8 .
Sobre o Mar

A grande azáfama começou então no vasto recinto do Templo. À expectativa ansiosa sucedeu a excitação da próxima aventura no mar que rugia lá fora, em busca de uma nova pátria e de um novo lar.

Em alguns surgiu a ideia da fuga enquanto era tempo, mas o terror das calamidades anunciadas para os próximos dias e a perspectiva de ficarem em terra misturados à multidão em pânico, levou-os à decisão de permanecerem no mosteiro e acompanharem os demais na fuga temerosa.

E a agitação não cessou dia e noite e, ao fim do terceiro dia, tudo estava pronto e os olhares ansiosos se fixavam no topo da torre central, aguardando o sinal do embarque.

Relâmpagos cruzavam o céu em todas as direções e os estrondos dos trovões se misturavam com os das ondas de grande altura que se jogavam contra as muralhas externas do Templo, bramindo como catervas enormes de lobos ferozes.

O dia transcorreu amarguradamente e as nuvens muito baixas dificultavam a respiração dos homens, já por si mesmos exaustos pelo trabalho intenso dos dias anteriores.

A noite desse dia caiu muito escura e o embate das ondas era cada vez mais violento, atingindo níveis cada vez mais altos, e já inundando o pátio do Templo.

Quando a lua começou a surgir, no mar, no longínquo horizonte, formando sobre as águas uma réstia prateada que vinha diretamente sobre o mosteiro, o gongo soou, imperioso e cavo, convocando a todos para a cripta central do Templo.

Com suspiros de alívio se apressuraram todos a atender e, em breves minutos, o local estava repleto.

Sobre a plataforma central, mais uma vez, solene e comovida, ergueu-se a voz sonora e grave de Morevana:

– Irmãos: vamos partir para o desconhecido e, mais uma vez, prosternemo-nos neste chão, que é o solo de nossa pátria infeliz; prosternemo-nos, irmãos meus, ante o poder de nosso Deus e Criador.

E imprecando ao Alto, exaltadamente:

– Nunca antes como agora, Senhor, compreendemos que és o único e verdadeiro poder. Confiamos em tua misericórdia e proteção inteiramente, pois, quem somos nós, ó Grande Espírito, perante a mão que desencadeia sobre o mundo tamanhos e tão terríveis acontecimentos?

Ilumine a nossa rota sobre estas águas inquietas, e que os teus sagrados desígnios em nós se cumpram com perfeição, para benefício da humanidade encarnada neste orbe.

Para onde iremos, Senhor, que o teu poder não nos conduza com segurança e tua sabedoria não nos conceda uma vida útil? Sejam pois, quais forem os teus caminhos nós, teus filhos e servos, iremos por eles e seremos fiéis aos teus mandamentos; não temeremos a vida e a morte e proclamaremos por toda parte a grandeza do teu amor, a extensão do teu poder e a excelência da tua justiça.

No profundo silêncio reinante, as palavras comovedoras da prece final do sacerdote penetraram fundo no coração de todos, e só então mediram a extensão imensa de suas responsabilidades, como veículos da divindade para a perpetuação dos conhecimentos espirituais que deveriam ser transmitidos a outros povos, para os lados do oriente.

E, novamente, a luz vinda do Alto, filtrou-se pelo teto de rocha, inundou a cripta e, dentro dela surgiu, em belíssima materialização luminosa, a figura resplendente de Xelu, com o corpo ereto, olhos fulgurantes, apontando, sem palavras, com o braço estendido imperiosamente, a direção do oriente.

Num momento apagou-se a visão e todos os peitos respiraram fundo, desafogados, convictos agora da presença constante do Grande Espírito em tudo aquilo que devessem realizar dali para o futuro.

Morevana abandonou então a plataforma, recuando enquanto bradava enérgico e exaltadamente:

– Cerrai todas as portas, apagai todos os fogos, abandonai todo o resto e, em nome do Senhor, embarquemos, meus filhos.

E enquanto lá fora a multidão desvairada de terror se debatia contra as portas, gritando, vociferando, quem olhasse para o mar, uma hora depois, veria, como se fosse num sonho, uma fita extensa de naus singrando na direção do oriente, todas elas dentro da faixa esplendorosa da luz prateada que vinha da lua, uma enorme lua plena, com uma imensa auréola de fogo que por sua vez caminhava rapidamente na sua rota pelo céu escuro.

.9.

Vencendo o Abismo

As naves singravam bem juntas, como que amedrontadas, na esteira da nau-piloto, e quando o disco do sol começou a remontar o horizonte, em todas elas os homens se prostraram, rendendo culto à luz.

Com elas as tradições religiosas sobreviviam à extinção da Quarta Raça. Retirados dos arquivos do Mosteiro de Astlan, conduziam preciosos documentos gravados em lâminas de oricalco[13], contendo o resumo dos conhecimentos das coisas sagradas: a origem do mundo, a história da Quarta Raça e dos sete povos que a formavam; as regras e os ritos do culto atlante, para o intercâmbio com o mundo espiritual e os seus porta-vozes; os conhecimentos sobre as artes, a agricultura, a fundição de metais e o fabrico de objetos de uso; a

---

[13] Metal amarelo e dúctil, semelhante ao ouro, de muitas e variadas utilizações entre os atlantes.

construção de naves para as grandes e as pequenas rotas; o levantamento de edifícios e monumentos; o sistema de comunicações rápidas entre lugares distantes; o giro dos astros, suas conjunções e efeitos na vida humana; enfim todos os conhecimentos até aquela data incorporados pela humanidade terrestre.

Essa documentação vinha acondicionada em arcas de madeira de lei recobertas de metal e empilhadas no porão da nave piloto, onde estavam Astério e Morevana, bem como o piloto-mor da esquadra.

———•———

A rota que levavam não lhes era totalmente desconhecida; várias migrações anteriormente já houvera, de povos atlantes, para a colonização de terras situadas ao norte da África e no Oriente, como já dissemos atrás, porém aquela era a primeira vez que singravam muitas naus para sudeste, com a finalidade que tinham.

Os pilotos recebiam instruções da nave de vanguarda e seguiam nos rumos determinados sem saber para onde, mas os sacerdotes o sabiam e seus olhos não se apartavam muito tempo de um ponto fixo à frente.

Enquanto a navegação prosseguia, na câmara principal, de espaço a espaço, se reuniam e concentravam para ouvir as instruções transmitidas por Xelu - o guia invisível.

Naquela noite, após a cerimônia do culto à luz, ele disse:

— Segui neste mesmo rumo e haverá salvação para todos. Orai agora ao Grande Espírito porque, neste mesmo instante, em que vos falo, o solo de vosso país submerge no oceano encapelado, e milhões de seres aflitos de vossa raça encontram a morte. Não ouvis, porventura, os brados dos que se afogam? O rugido das águas invadindo as terras?

O solo se fende em vários lugares, formando abismos insondáveis, e colunas de fogo, pedras e fumo sobem para os céus e depois retomam, destruindo campos e cidades, em regiões extensas, enquanto a água do mar, que penetra nesses abismos, levanta turbilhões de espuma, de cinzas e de vapores mortíferos. Não os sentis?

A atmosfera abrasa por toda parte, queima os pulmões dos que respiram e o sol desaparece, escondendo-se por detrás de nuvens espessas que cobrem o firmamento e tão baixas elas estão, que a pressão esmaga os corpos humanos no chão.

Não há mais salvação para ninguém e os homens que prevaricaram e desprezaram seu Deus estão sendo agora aniquilados. Não ouvis os seus clamores desesperados?

Glorificai, pois, o Senhor da Luz, que vos reservou para tarefa tão grandiosa, livrando-vos da morte triste e singrai nas vossas naus com confiança, porque nova vida vos espera em regiões pacíficas, onde a maldade humana não se entronizou e as verdades do espírito devem ser semeadas com amor, como quem semeia o trigo sagrado.

A voz calou-se, ao mesmo tempo em que vinha de fora um chamamento urgente:

– Venerável Astério acode-nos – gritava o piloto-mor. – Vinde depressa.

Correndo para fora os dois sacerdotes depararam com um espetáculo apavorante: estava tudo escuro em volta, o céu quase tocando as águas; o oceano espumava e bramia como preso de grande cólera e as ondas eram altas. Por sobre as águas ecoavam gritos, uivos e lamentos e vozes aflitas de desespero e de pavor, tudo de mistura, num só tumulto temeroso de sons.

Na esteira dos barcos, muito ao longe, na direção do continente abandonado, o céu estava em fogo e parecia derramar labaredas sobre a terra; era como se fosse um imenso e abrasador crepúsculo em que predominavam as cores roxa e amarela.

Pairava no ar uma angústia terrível, que constringia os corações, um pavor horrendo que rugia sobre as águas encapeladas.

O que estaria acontecendo no continente onde todos aqueles homens nasceram e viveram e onde deixaram seus haveres, tradições e seres amados? Essa era a interrogação aflitiva de todas as tripulações.

De quem eram aquelas vozes desesperadas, aqueles gritos horríveis que se faziam ouvir sobre as naves como que a pedir socorro desesperadamente?

Da nave-piloto uma ordem foi transmitida rapidamente a todas as outras: "concentrai vossos Espíritos no Senhor" e, em seguida, a voz imperiosa de Astério:

– Haja o que houver conservai-vos unidos e orai ao Grande Espírito a favor dos infelizes irmãos nossos que estão sendo, nesta hora, tragados pelos abismos na terra e nas águas. Orai por eles.

Em todas as naus as interrogações cessaram e os braços se foram levantando em silêncio, trêmulos e suplicantes, acompanhando a prece fervorosa e apavorada: "Recebei, Senhor, seus Espíritos no vosso regaço misericordioso; sede benevolente pelos seus desvarios e proporcionai-lhes novas oportunidades nas moradas acolhedoras de vosso reino eterno".

E após essa oração piedosa todos foram se recolhendo em seus corações com suas próprias dores e angústias até que o silêncio voltou nas naus, que prosseguiam na sua rota desconhecida.

Aos poucos, com o passar das horas, o tumulto no mar foi também serenando e, quando rompeu a manhã seguinte, as águas estavam quase calmas, somente cobertas por uma espuma arroxeada, e formavam como que um grande sulco, uma corrente que arrastava as naus numa direção firme e com incrível rapidez. E assim foi o dia inteiro e a noite seguinte, sob a ansiedade geral e crescente das tripulações.

Que corrente era aquela, perguntavam uns aos outros, e para onde os estava levando com tamanha rapidez?

— • —

Pela madrugada seguinte a voz espiritual soou novamente no silêncio da câmara dos sacerdotes:

— A justiça do Grande Espírito se cumpriu. O continente onde os homens da Quarta Raça nasceram e viveram desapareceu no oceano. Tudo está agora consumado.

E acrescentou instruções, dizendo:

— Estais sendo conduzidos agora a novas terras onde espalhareis as sementes das verdades eternas, para novos homens. O caminho já se abriu à vossa frente e no local onde existia o Grande Penhasco, que chamáveis o Marco do Oriente, a terra fendeu-se e formou-se uma passagem. Por ela o oceano se precipita agora, enchendo a grande bacia mediterrânea onde muitos povos viverão, para formar o núcleo de uma nova e mais avançada civilização. Depois que transpuserdes a passagem, contai quatro sóis e a primeira terra que surgir à vossa frente, será o vosso destino. Tende fé e confiança, porque a mão poderosa do Grande Espírito está sobre vós e nada vos sucederá de diferente do que está prescrito.

Quando as últimas palavras soaram, os sacerdotes se prostraram com as faces no chão e, por muito tempo assim ficaram, demonstrando submissão perfeita à vontade do Senhor. Quando se ergueram estavam calmos e nos seus olhos brilhavam a confiança e a decisão mais firmes. Sabiam agora qual o destino que os aguardava e, em suas mentes esclarecidas, a visão do futuro se estampava com clareza e nitidez.

Levavam consigo a doutrina espiritual verdadeira, privativa da classe sacerdotal, que devia perpetuar-se no mundo para a condução da futura humanidade, e o que lhes competia era transmiti-la com fidelidade, para que a chama da Verdade não se apagasse ou desviasse; e agora estavam certos de que poderiam fazê-lo com inteira segurança, porque esta era a vontade do céu.

Saindo para fora, Astério ordenou a transmissão da seguinte mensagem a todas as naus, mensagem curta porém altamente expressiva:

— Deus conosco. Conservar a rota.

Estava certo que a paz voltaria a reinar naqueles corações angustiados, imersos em dúvidas e tristezas.

— • —

Sempre arrastados pela corrente oceânica, quando o disco do sol se pôs no alto, avistaram pela frente o Grande Penhasco e viram que ele estava agora no lado norte; para o sul a terra se afastara, formando uma passagem estreita, por onde o oceano se precipitava num imenso fragor.

O piloto-mor, aterrorizado, correu para Astério gritando:

— Venerável Senhor. Meu Espírito está perturbado: apesar de me haverdes advertido, aterro-me por ver que o Grande Penhasco foi partido ao meio e formou-se aquela passagem (e apontava com a mão) que podeis ver daqui e por onde as águas estão se precipitando em terrível escachoo. Que será de nós?

— Nada temas; mantém a confiança. A mão do Senhor, que nos trouxe até aqui, ela mesma nos levará para além deste pélago, até o porto de destino, que ainda está muito ao longe. As naus que permaneçam juntas, recomendou ele — umas atrás das outras, guardando distância para não se chocarem; os remadores que tenham mão nos remos e os pilotos comandem os movimentos; mande colher as velas e deixemos que a própria corrente nos conduza.

A visão era realmente aterradora: a terra abrira-se naquele ponto, rachando-se e grande parte dela foi carregada pelas águas irresistíveis, recortando-se de um lado em altíssimas escarpas; formou-se um corredor estreito, um verdadeiro canal que morria ao sul em praias baixas, por onde o oceano se engolfava com inaudita violência, apertando-se e rugindo.[14]

—•—

Para ali foram as naus arrastadas e quase destroçadas pelo escachoo e pelo embate violento das ondas. Nas altas cristas espumantes se levantavam como cascas de nozes para deslizarem, em seguida, pelos dorsos empinados mergulhando, por fim, no fundo da voragem.

A salvação foi conseguida a poder de remos e porque soprava um vento contrário à corrente, que vinha do leste e também porque as naus mantiveram rigorosamente o afastamento ordenado por Astério.

A passagem era cheia de escolhos submersos

---

[14] O estreito que se abriu na ocasião da ruptura tinha um pouco mais de uma milha. A ciência oficial confirma esse acontecimento, porém marca-lhe a idade de 5,5 milhões de anos, cálculo exagerado e sem base na realidade.

que os navios superaram. Plínio, o Moço, ao seu tempo amigo do imperador Trajano, dizia que se tratava de bancos de areia. Na *Antiga História de Marrocos* o historiador El Edrissi afirma ter havido naquele ponto um cataclismo, que fendeu o rochedo, tendo o mar atingido a altura de 11 estádios[15]. As lendas da antiguidade grega dizem que Hércules abriu o estreito com seus possantes braços, sendo esta uma de suas mais famosas façanhas.

— • —

Quando saíram daquele estreito e tormentoso corredor surpreenderam-se em um largo horizonte, sobre um novo mar, mais calmo, até onde a vista alcançava. Para a esquerda, na direção do norte, viam-se terras muito ao longe, formando penedias acinzentadas e à direita quase indistintas, outras, mais baixas, que a bruma apagava.

O piloto-mor aproximou-se de novo e, reverentemente, inclinou-se perante Astério:

— Grande é a vossa sabedoria, Venerável Senhor, e por ela nos salvamos de naufrágio certo.

— Enganas-te, piloto. Por mim mesmo nada sei

---

[15] Medida itinerária grega correspondendo a 185,25 metros. Quando as águas encheram a bacia, seu nível atingiu 2.037 metros, igualando-se com o oceano.

nem posso, nem jamais cruzei este passo. O Grande Espírito, com sua mão generosa guiou e amparou os barcos e a ele somente devemos nossas vidas.

E desviando a atenção para novo motivo, perguntou:

— Como achais o mar agora?

— Ainda estamos sendo levados pelas próprias águas, porém muito mais lentamente agora; a corrente está perdendo sua força aos poucos.

— Porventura sabes, piloto, para que lugares vamos neste rumo?

— Segundo creio, Venerável Senhor, vamos na direção das colônias libanesas e egípcias, formadas desde há muito tempo pelo nosso próprio povo.

— Por que supões tal coisa?

— Os astros o indicam, Venerável Senhor; há muito tempo atrás uma expedição comandada pelo semita Carion, da região de Cush, da qual eu fazia parte, atingiu esta costa e viajamos muitos sóis, por terra para alcançar essas colônias; e havia outras, para outros lados. E então verificamos como prosperavam as colônias atlantes que se fixavam fora do continente! Estas duas, como as da costa leste, eram já muito numerosas e ricas de homens e de bens, e mantinham comércio intenso entre si e com Poseidônis.

— Já conhecias, pois, este mar?

— Não, Venerável Senhor; jamais o vi nem soube que existisse.

— Onde estavam, pois, as colônias? Não eram marítimas?

— Estavam às margens do Lago Triton, mais para dentro da terra, tomando por base a direção do Grande Penhasco arrebentado agora pelas águas. Também não havia esta passagem estreita; muitas vezes cruzei a costa neste ponto e jamais vi tal passagem; a montanha na certa se fendeu.

— Sim, justamente; foi pela vontade do Grande Espírito; este mar que tu vês agora e no qual navegamos, formou-se nestes poucos dias, enquanto nos fazíamos à vela, em Poseidônis. Fomos os primeiros a transpor a passagem e estamos sendo os primeiros a navegar neste mar.

— Se vós dizeis, Senhor, é porque o sabeis de fonte segura, mas na verdade, terríveis coisas estão acontecendo aos nossos olhos.

— Que desejas saber, agora, piloto-mor?

— A corrente ainda nos leva, Venerável Senhor, e prestes amainará e, quando estivermos livres dela, que rumo tomaremos neste mar desconhecido?

— Não te inquietes. Nós te chamaremos, à hora oportuna, para receber instruções; podes repousar um pouco agora.

— Grande chefe, o Senhor colocou à nossa frente

nestes dias difíceis; isso reconhecemos e não duvidamos. É a vós, Venerável Senhor, que devemos nossas vidas e nosso futuro.

— Louvai ao Senhor nosso Deus e não a mim, que simplesmente executo suas sagradas determinações.

O piloto inclinou-se para a frente respeitosamente, mãos espalmadas sobre os joelhos, e em seus olhos se liam a admiração e o respeito mais profundo pelo sacerdote.

. 10 .
O Porto de Destino

Quando caiu a noite, muito longe, para trás ficara a passagem tormentosa; a corrente já havia diminuído muito, estando agora quase extinta; em todas as naus havia regozijo intenso; luzes se acenderam e cânticos se elevavam aos céus, de pura alegria e agradecimentos fervorosos ao Senhor da Luz, pela salvação de todos.

Viam agora os perigos que correram, imprevistos mortais e desconhecidos e como a vida de todos esteve por um fio, principalmente na passagem estreita e terrível onde as ondas, em escachoos violentos, facilmente fariam soçobrar as naus, ou as esmagariam de encontro as penedias da parte mais alta.

— Temos pilotos hábeis nesta viagem arriscada, diziam uns.

— Ignorantes que sois, diziam outros; o piloto foi o Grande Espírito que tudo vê e tudo pode e fala pela boca dos sacerdotes que vão na nave mestra. Homem algum faria o que foi feito.

Enquanto se faziam estas murmurações entre as tripulações e os passageiros das naves, recolhidos na grande câmara de vante, os sacerdotes aguardavam as instruções de Xelu – o guia espiritual – que, aliás, já estava tardando muito.

Ambos possuíam poderes psíquicos, aptos a manterem relações diretas com o Plano Invisível. Havia sido estabelecido no mosteiro, desde o primeiro contato, que duas vezes ao dia, a saber: nas cerimônias do culto ao Sol nascente e no crepúsculo, as instruções seriam dadas pelo guia desencarnado, como também o seriam a qualquer hora, do dia ou da noite, em caso de necessidade maior como, aliás, já acontecera nesses últimos dias.

Morevana tinha mais idade e seu coração se ressentira de tantas e tamanhas emoções. Estava repousando no seu leito e dormitava desde quando a noite caíra sobre o mar, mas Astério, acossado pela responsabilidade da chefia espiritual do empreendimento, velava atento.

Bem mais tarde, quando já não havia mais esperança de contato, a voz do guia, forte e harmoniosa, ressoou na câmara:

– O perigo, meu filho, está passado e a rota das naus, de agora em diante, será tranquila. Mantende o mesmo rumo firmemente e daqui a pouco, quando a lua subir por sobre o mar, sai para fora, estende o teu braço na direção do rumo e à altura de uma mão aberta no braço estendido, vereis pela frente uma costa penhascosa; deixai-a à esquerda e rumai a sudeste; tomai bem nota: quando a costa estiver no horizonte novamente à esquerda, voltai o rumo para nordeste e tereis então dois sóis de navegação tranquila em mar aberto, até que vos surja à frente, bem no sentido do rumo, a nova terra, que será o vosso destino final.

Que o Senhor vos ilumine em sabedoria nestes dias difíceis, para que a vossa tarefa se execute fielmente. Que assim seja.

Quando o piloto-mor, chamado à câmara, se inclinou de novo à sua frente, perguntou-lhe Astério:

– Conheceis ou ouviste falar de alguma terra no rumo em que estamos agora?

– Não, Venerável Senhor, nada sei a respeito.

– Toma nota, então, piloto, das instruções que o Senhor nos envia e cumpre-as rigorosamente, sem a menor alteração, haja o que houver.

O piloto anotou-as, comentou-as cautelosamente e, bem não se havia afastado, já o disco lunar, saindo das águas, limpo e claro, como que lavado por elas, apontou no horizonte e rapidamente começou a subir pelo céu sem nuvens.

E tudo foi como houvera sido predito, ponto por ponto: a costa penhascosa à esquerda, o rumo a sudeste, a guinada das naus para nordeste e, por fim, o surgimento da terra à frente das proas, o ponto final do destino tão almejado e que a bruma do mar mal deixava entrever ao longe (vide mapa à página 125).

E o vento deu de soprar com força crescente, vindo de ré, e as naus tomadas por ele, abriram todas as suas velas e se foram sobre as águas com incrível rapidez, como gaivotas em divertimento.

E quando a costa do destino final surgiu, bem na linha fronteira do rumo, o guia espiritual voltou a falar na câmara, de forma inesperada:

— Eis o que o Senhor vos diz: encontrareis uma pequena baía e nela deveis entrar, lançando vossas âncoras confiadamente; amarrareis vossas naus bem juntas umas das outras, para vos servirem de habitação provisória, e então virá a vós o auxílio de que careceis para o vosso estabelecimento nessa nova terra.

Pela primeira vez Astério interveio, perguntando:

— Venerável mensageiro do Senhor! Que mar é este em que navegamos e no qual se encontra o nosso porto de destino? E o Grande Penhasco, será crível que se haja fendido unicamente para dar passagem a estas nossas naus desarvoradas?

— As emoções de tantos instantes difíceis, Astério, perturbaram vosso atilado entendimento. São sempre justos e perfeitos os desígnios do Senhor.

Lembrai-vos do nosso encontro do segundo dia: no mesmo instante em que vos avisava que Poseidônis se afundava nas águas, o rochedo que conhecíeis como o Marco do Oriente já estava fendido ao meio, abrindo a passagem por onde, logo depois, vos aventurastes com as vossas naus. E as águas do oceano, que por ali se precipitaram, inundaram esta grande região em que vos achais agora, esta imensa depressão entre costas afastadas, na qual se está formando um mar interior que terá considerável importância na civilização futura do mundo.

Estas naus, como sabeis, trazem em seu bojo elementos preciosos para essa realização espiritual, como vos foi anunciado antes mesmo da partida.

Muitas terras ficaram agora submersas porém outras se levantarão em torno deste mar, cuja entrada, agora um simples corredor estreito e perigoso, se alargará grandemente para que a navegação seja facilitada[16]; e assim, Astério, estas novas terras se transformarão em centros ativos dessa nova civilização do planeta. Elas é que deverão receber o legado espiritual de que sois agora portadores. Paz convosco e a bênção misericordiosa do Senhor.

— • —

---

[16] O historiador romano Tito Lívio, no começo da era cristã, dava-lhe 7 milhas e, 400 anos d.C., apresentava-se com 13 milhas, tendo hoje 15 milhas na sua menor largura.

Ao terceiro dia de uma navegação tranquila em um mar sereno e azul, onde os raios do sol se espelhavam refulgindo, logo pela manhã divisaram no horizonte a terra que buscavam já bem perto e, com a luz já bem no alto, penetraram em uma baía pequena e alegre, que oferecia seguro abrigo.

Obedecendo às instruções, cerraram as naus umas junto às outras, desceram as âncoras e iniciaram os preparativos para o desembarque ansiosamente aguardado. Um grupo de observadores escolhidos desceu em primeiro lugar, para estudar a costa e o interior adjacente, examinando as possibilidades de um desembarque geral, com acomodações para todos.

Muitas horas depois, já ao cair da tarde, o grupo regressou informando que a região era agreste, montanhosa, desabitada, com possibilidades, porém, de acomodação nas fraldas de um monte mais próximo, onde havia anfractuosidades e grutas naturais que poderiam ser utilizadas como abrigos provisórios.

Astério e Morevana autorizaram o desembarque para a madrugada seguinte, para que cada um se acomodasse individualmente, ou em grupos reduzidos, adaptando-se às circunstâncias do momento. Por essa noite, decidiu-se, dormiriam nos barcos e assim, efetivamente dormiram, profundamente, após tantos dias de angustiosas vigílias, essa primeira noite de sono tranquilo e recuperador.

Na manhã seguinte, antes de descerem para a praia, ouviram sons roufenhos e tristes de trompas de caça e, surpreendidos, viram aproximar-se dos barcos um grupo numeroso de homens de estatura elevada, cobertos de peles de animais e armados de lança e arco; gritavam e faziam sinais e chamavam os navegantes no idioma do país de Cush, pedindo que descessem sem temores, pois que eram amigos.

Os emigrantes se aglomeraram ansiosos nas amuradas dos barcos, querendo descer, mas os sacerdotes acharam mais prudente mandar à terra um bote, pedindo que viessem à nau piloto alguns homens daquele grupo, para os indispensáveis reconhecimentos e entendimentos.

Três homens atenderam e foram levados à sua presença na proa da nau. Eram altos, extraordinariamente robustos e, assim, à primeira vista, não se poderia atinar com sua raça de origem.

Saudaram austeramente com a saudação atlante e com isso em parte se identificaram.

— Quem sois, amigos, e donde vindes? Perguntou Astério dirigindo-se ao mais idoso deles.

— Somos atlantes, descendentes de colonos que vieram do sul, que povoaram uma colônia antiga, dirigida por Hilcar, discípulo de Antúlio, que foram subindo para o norte e se fixaram às margens do lago Triton, ali fundaram a colônia de Chibuc, de onde agora fugimos, para nos refugiarmos nas florestas altas situadas atrás destes montes, que daqui podeis ver. À medida que vos aproximáveis, reconhecemos as naus como sendo atlantes, porque alguns de nós já vivemos no mar e conhecemos navegação. Corremos para cá a fim de ajudar e, também, sermos ajudados, porque necessitamos de muitas coisas.

— Mas como, então, pertencendo à colônia de Chibuc, tão distante, vos encontrais aqui? Interveio o piloto-mor.

— Viemos para cá há muitos sóis, antes que estas terras fossem alagadas repentinamente, há poucos dias; fugimos da antiga colônia para evitar a morte, porque somos pacíficos e não lutamos contra irmãos de sangue; nossos pais se referiam sempre ao grande rei Anfion, que se afastou do mundo por amor à paz.

— E que ameaça ou perigo mortal vos afrontava, de tal modo que vos levou à fuga?

— Havia três colônias às margens do lago: a nossa, a dos tlavatis da Teoscandia e a dos semitas da Mauritânia; entre eles houve uma desavença terrível por falta de mulheres e se aniquilaram mutuamente após anos de rixas e traições mortíferas. Estávamos levantando tendas à beira de um pequeno lago, na parte baixa, além daqueles montes azuis que daqui se veem, bem a leste, quando, repentinamente o mar invadiu as terras e a custo nos livramos das águas. Estamos agora mudando a nossa 'colônia para as fraldas destes montes que denominamos "Das Abelhas", porque esses insetos aqui proliferam de forma incrível e dos seus produtos temos nos alimentado, com penúria, mas sem padecimentos de verdadeira fome, enquanto armazenamos carne de caça para o inverno que se aproxima.

– Que fazem para conservar a carne? Perguntou novamente o piloto-mor.

– Aprendemos com os semitas – que são muito sóbrios – e que descobriram em uma montanha, não muito longe daqui, os cristais brancos que tomam os alimentos incorruptíveis, dos quais o nosso povo já sabia fazer uso, como deveis saber.

– Sim, sabemos, e folgamos também saber, que nestas redondezas existe esse cristal.[17]

– Se vindes para ficar nestas plagas, continuou o colono, seria bom que aceitásseis nossa companhia no mesmo local onde estamos. Não tereis conforto, como seria de desejar; mas sempre é melhor que viver nos barcos ou grutas infestadas de répteis venenosos.

– Agradecemos a lembrança, respondeu Astério e mandaremos convosco companheiros e operários nossos para nos informarem sobre o local, enquanto vamos permanecendo aqui mesmo nos barcos, sem receio de répteis e de feras desconhecidas.

---
[17] Cloreto de sódio - sal de cozinha.

— Dizei-me agora, venerável pai, o que vos move a emigrar para esta região desértica e o que ocorreu para o lado de onde vindes, que provocou esta terrível inundação. Que notícias nos podeis também dar de nossa pátria distante?

— Deixemos isso para depois, respondeu Astério e sereis satisfeitos em vossa natural curiosidade; cuidemos agora e com urgência da acomodação deste nosso pequeno povo.

. 11 .
No Monte das Abelhas

Pouco depois o gongo da nau-piloto soou, convocando para o culto ao Sol. Durante a travessia a cerimônia se realizava em cada nau para aqueles que nela iam mas, nessa tarde, Astério ordenou uma reunião geral na praia e, em breves minutos, os barcos se esvaziaram.

Agruparam-se os homens sob a ramaria densa de um cedro, junto à praia e entre eles se incluíram os colonos atlantes de Chibuc, que resolveram permanecer junto aos emigrantes aquela noite, a fim de ajustarem condições e estreitarem conhecimento.

Ao centro do grupo colocaram-se os sacerdotes e, para demonstrarem sua alegria, os colonos utilizaram suas trompas de caça, emitindo sons melancólicos e prolongados, que reboaram plangentemente pelos vales e montes até que Astério exigiu silêncio e iniciou a cerimônia, no momento exato em que o disco do sol fazia seu mergulho no horizonte longínquo, sob as águas ondulantes.

Morevana dirigiu o culto, oferecendo ao Senhor a gratidão dos emigrantes pelo êxito da travessia, e rogou a sua proteção para o estabelecimento da futura colônia; agradeceu o auxílio já recebido dos irmãos de sangue ali presentes e interpretou a alegria de todos por aquela primeira reunião na terra da nova esperança.

Quando terminou sua prece comovente, Astério levantou os braços para o Alto e clamou sob a mais viva emoção:

– Ó Grande Espírito, Senhor nosso, eis o nome pelo qual, de hoje em diante, chamaremos a colônia que vamos fundar em teu santo nome: Nova Esperança.

E voltando-se para os assistentes perguntou:

– Que dizeis, meus filhos? Aceitais em nome do Senhor a Nova Esperança?

Um grande clamor se levantou no meio deles e os braços todos se estenderam em aprovação e juramento:

– Nova Esperança, esse será o seu nome.

Dali a momentos todos se recolheram e entre si comentavam com alegria a rapidez com que as coisas sucediam e até mesmo já estando a nova colônia designada por um nome simbólico e promissor.

Na câmara de vante, sentado frente a Morevana, Astério repetia para si mesmo o nome escolhido: Nova Esperança!

Muitas já houvera antes para aquele povo indócil e fútil e a última fora Poseidônis, mas triste fora o seu fim... Comovido levantou-se e orou ao Santo Espírito dizendo:

– Rogo-te, Senhor, que muito diferente seja o destino desta que hoje consagramos e que os seus caminhos sejam os da verdade mais pura; e que o coração dos homens nela encontrem não a violência, mas a paz; não a morte, mas a eterna vida.

Depois recostou-se e a noite caiu sobre todos como um manto de proteção e de silêncio, para que repousassem.

— • —

Estavam assim transplantados em terras novas os conhecimentos e as tradições religiosas incorporados pela Quarta Raça, que na continuidade evolutiva da civilização planetária deveriam ser herdados pelos homens da Quinta Raça que, tempos depois formou-se no Indostão, sob a lúcida inspiração do missionário Rama, nascido na raça dos druidas, ramo dos celtas, descendentes dos primitivos hiperbóreos.

Cada raça gera uma civilização determinada que, com ela passa, sendo substituída por outra mais evoluída.

Como já expusemos antes, com o primeiro afundamento do Grande Continente, muitas tribos se salvaram, refugiando-se nas regiões vizinhas, inclusive no Continente Hiperbóreo, ao norte do globo, mas quando o gelo começou, neste último, a condensar-se por desvio da órbita do planeta[18], processo que durou longo tempo, tomando inabitável a região, os habitantes, em massa, se deslocaram para o sul, detendo-se nas planícies do atual centro da Europa.[19] Ao mesmo tempo diversas tribos dos antigos lemurianos, que se haviam refugiado no continente africano, deslocaram-se para o norte em grande número, aproximando-se dos acampamentos dos hiperbóreos, tornando-se iminente uma terrível luta de sobrevivência.

———

Quando o choque entre as duas raças se tornou inevitável, os dirigentes planetários intervieram, como sempre o fazem quando a ação dos homens cria emba-

---

[18] A aproximação de um astro, em certos casos, pode produzir catástrofes. A aproximação de um cometa que invadiu a atmosfera da Terra naquela época desviou o eixo e a órbita da Terra, que era circular, passou a ser elíptica e a duração do seu trânsito na órbita ficou acrescida de dez dias, uma hora e trinta minutos; isto trouxe profundas alterações nas estações, influindo grandemente sobre o clima do globo.

[19] A alteração do clima no Continente Hiperbóreo e sua consequência para a formação da Quinta Raça pode ser estudada em outra obra do autor, *Os Exilados da Capela*, capítulo XVI. (Nota da Editora)

raços ou ameaça a evolução da humanidade... Violenta epidemia assolou os acampamentos hiperbóreos mas, em sonhos lúcidos, foi revelado ao sacerdote menor Rama que a bolota do carvalho era o remédio salvador. Passando a agir como informara o mensageiro espiritual conseguiu ele sobrepor-se ao poder das sacerdotisas que governavam o culto e distribuiu o remédio ao povo, vencendo a epidemia em curto prazo.

– Este é o verdadeiro chefe, clamavam os homens e as mulheres; aquele que protege o povo e o salva da morte. Ele que nos conduza de hoje em diante, que respeitaremos sua autoridade.

Assim surgiu o missionário que salvou aquele povo e liderou daí por diante o destino da Quinta Raça – os árias – conduzindo-o para o Oriente, salvando-o também do aniquilamento, porque os rutas, que arvoravam o estandarte da violência e da cobiça, quando se lançaram sobre o acampamento dos árias, nada mais encontraram que fogos apagados e montes de cinza ainda quente, que os ventos espalhavam pelo ar.

.12.

Nova Esperança

Na manhã seguinte, após o culto costumeiro, formaram-se grupos destinados a preparar a instalação dos emigrantes e, tendo à frente os colonos de Chibuc, partiram alegremente, quando o sol já se achava a meia altura. Atravessaram a linha dos montes que circundavam a baía e desceram para o vale oposto, verdejante e claro onde, desde logo, se avistavam algumas cabanas cobertas de palha.

Havia intensa atividade no local; homens robustos levantavam uma paliçada em torno ao grupo de cabanas, outros construíam novos abrigos e terraplenavam o solo, cavando fossos para escoamento das águas de chuva; mulheres, uma dezena delas, trabalhavam nos arranjos domésticos, esfolando animais de caça, enchendo de mel silvestre recipientes de bambu ou de argila, enquanto várias crianças brincavam na parte limpa do campo.

Sob um cedro frondoso estava um homem de idade madura e aspecto imponente; dirigia-se de vez em quando ao grupo de trabalhadores ou às mulheres, dando ordens, corrigindo falhas; em sua fronte alta e larga, os olhos doces, mas enérgicos, refletiam uma grande autoridade; suas mãos possantes trabalhavam na confecção de uma mesa tosca de madeira, grosseiramente aparelhada.

Via-se que era o chefe.

Vendo o grupo de homens que se aproximava, foi-lhes ao encontro à entrada do acampamento, enquanto gritava aos trabalhadores que se reunissem e às mulheres, que se refugiassem nas cabanas mas, reconhecendo, logo à frente do grupo, os colonos de Chibuc, aguardou calmamente os visitantes.

Os colonos fizeram-lhe uma respeitosa saudação.

– Vossas ordens foram cumpridas, Dáctilo; já nos entendemos com os chefes dos barcos, que são sacerdotes, do Templo de Astlan, de Poseidônis. São nossos irmãos de sangue e convidamo-los a se juntarem a nós na colônia. Nenhum deles tem armas; são pacíficos e bondosos.

Dáctilo olhou-os em silêncio por algum tempo como se aguardando qualquer inspiração e, subitamente decidiu-se e levou-os para o acampamento caminhando à frente deles. Reuniu-os debaixo do cedro, já agora sem a menor desconfiança e perguntou:

— A quem devo dirigir-me como chefe?

— A mim, disse Tlotac, que estava entre eles, avançando. Sou um sacerdote de grau menor e estou autorizado a falar contigo.

Dáctilo gritou um nome e um de seus homens acorreu.

— Leva estes irmãos nossos; dá-lhes comida e deixa-os depois descansar como quiserem.

E virando-se para Tlotac:

— Sentemo-nos aqui neste galho seco e conversemos. Viemos para estas terras há muitos anos e nunca mais soubemos de nada do que se passava em nossa nação. Somos do Cerro Grande e, como viestes de Poseidônis, conta-nos o que sabes.

Tlotac sentou-se junto dele e, após ligeira reflexão, contou-lhe o que sabia sobre os últimos acontecimentos que obrigaram ao exílio doloroso naqueles ermos.

Enquanto ele falava, ia-se alterando profundamente a fisionomia de Dáctilo, fechando-se, por fim em terror e espanto e, ao terminar a narrativa, pendeu a cabeça sobre o peito e assim permaneceu por longo tempo; por fim disse a Tlotac:

— Leva-me ao grão-sacerdote, teu chefe, quero falar-lhe.

— Por certo que o levarei.

— Podes fazê-lo já?

– Hoje não, respondeu Tlotac. Sinto-me cansado. A imobilidade nas naus durante tantos dias, as emoções e os temores provocados por esses acontecimentos tão trágicos e a caminhada da praia até aqui, nos enfraqueceram de corpo e espírito. Poderei ir contigo amanhã, se quiserdes.

– Seja, pois, amanhã, com a madrugada, respondeu Dáctilo. Por hoje então descansareis aqui, com teus companheiros e desde já declaro que concordo em nos juntarmos todos, formando um só grupo, mais numeroso e mais forte para aguentar a vida nestes ermos.

Tlotac reuniu seus homens, falou-lhes da decisão de Dáctilo e, ao invés de regressarem aos barcos, resolveram iniciar imediatamente a construção de abrigos para todos os companheiros.

Entraram em entendimentos com Dáctilo sobre os planos das construções e imediatamente meteram mãos à obra, alegres e bem dispostos.

— • —

Na manhã seguinte, aos primeiros albores da madrugada, Tlotac e Dáctilo puseram-se a caminho e, antes que o sol remontasse o meio do céu, estavam descendo na praia; onde as naus continuavam fundeadas.

Dáctilo foi levado logo à presença dos sacerdotes, aos quais contou sua história aventurosa:

— Depois do segundo afundamento que, como sabeis, não teve muita extensão e que parece mesmo que foi só para completar falhas do primeiro em relação a pequenas ilhotas que ficaram ainda sobrando à superfície do mar, eu vivia em Mah-Ethel e me filiei à corrente mais esclarecida da população que seguia a Escola Antuliana. O sacrifício desse missionário pelos sacerdotes, mandando envená-lo sob a alegação de pregar doutrina avançada que contrariava a orientação religiosa daquele reino, nada mais fez que aumentar seu prestígio com a auréola de herói nacional.

Ao tempo de sua morte, seus discípulos fugiram à perseguição sacerdotal em vários grupos, um dos quais, chefiado por Hilcar, seu discípulo mais íntimo, atravessou estas serranias e fixou-se na parte sul destas terras, donde mais tarde se transferiu para as margens do grande lago Triton.

Eu procedo de Poseidônis, fiz a mesma rota e com os que me acompanhavam, fixei-me no mesmo lago.

Aí nos mantivemos muito tempo, até que rivalidades sérias surgiram com tribos vizinhas mais poderosas, por causa de mulheres e por isso fugimos e estamos nos estabelecendo agora no sopé destes montes, na vertente oposta a esta face marítima.

— O sacerdote Tlotac já nos falou sobre a conversa que tiveram e vossas disposições fraternas que muito apreciamos.

— Sim, venerável pai. Se for de vosso agrado, concordo em nos juntarmos num só grupo e assim seremos mais fortes para nos defendermos dos povos selvagens que existem nesta região.

— E qual o destino das tribos que vos ameaçavam antes?

— Ignoro. Talvez tenham sido exterminadas com a inundação destas terras pelo mar.

— É possível. Neste caso, então, não haveria mais motivos para temê-las.

— É engano vosso. Existem por aqui muitas outras que são nômades e não menos perigosas e cuja origem também desconhecemos.

— Bem, replicou Astério, rematando a entrevista; vamos meditar sobre o acordo proposto e hoje mesmo vos daremos nossa decisão. Enquanto isso ficareis aqui conosco e podereis descansar à vontade.

———•———

Tlotac levou o visitante para fora, mas regressou logo e os três sacerdotes se concentraram, com o fervor de sempre para ouvir o conselho do guia invisível.

Desta vez, após a devida preparação, a entidade falou pela boca do sacerdote menor.

— Não haveis notado, porventura, a articulação perfeita dos acontecimentos? Não deixaram eles ver, na sua harmoniosa e clara sucessão, a mão do Senhor, dando-vos o auxílio que foi prometido? Nada há, pois que temer nem que duvidar. Sois todos do mesmo sangue, vós e os colonos que vos procuraram; adorais todos o mesmo Deus e, assim como a vós vos coube uma tarefa a executar nos tristes acontecimentos destes dias, a eles coube esta outra, a saber, a de vir em vosso auxílio logo que chegásseis aqui.

Assim, pois, a tarefa agora é uma só, é comum, e somando as vossas forças, multiplicareis as possibilidades de êxito final. Não vacileis pois, meus filhos, e uni-vos hoje mesmo, em nome do Senhor.

Paz convosco.

Terminada a reunião, nada mais havendo a decidir, mas somente a cumprir, Astério mandou chamar Dáctilo e pleno entendimento foi feito em benefício da unificação dos grupos e do planejamento futuro das suas atividades agora comuns.

Horas depois, quando saiu da câmara, Dáctilo já o fez na qualidade de chefe da colônia – Nova Esperança –enquanto, pelo acordo feito, aos sacerdotes caberia, daí por diante, unicamente a direção do culto como era antes na antiga Pátria.

E ordens foram rapidamente transmitidas a todos os barcos para que os homens se preparassem para partir no dia seguinte, levando a carga que pudessem suportar, ficando os barcos sob vigilância de uma guarda de confiança, a ser revezada periodicamente.

Enfim Unidos

Na manhã seguinte, formando uma longa caravana, os emigrados partiram, transportando às costas, tudo quanto podiam.

Já na sua função de chefe, Dáctilo caminhava à frente, alto e forte como uma coluna, vindo em seguida os sacerdotes e, por último, os demais emigrantes sem distinção pessoal.

O sol já ia a pino quando chegaram, sendo recebidos com grande júbilo. Todos deram o justo valor à importância do acontecimento, que era uma garantia, para todos, de segurança e de êxito futuro.

A uma ordem do chefe, reuniram-se ao centro do acampamento e Astério resumiu a nova situação dizendo:

— Sabeis vós, meus filhos, que foi fugindo à desgraça, que abandonamos nossos lares em Poseidônis e que, a partir daí, a mão do Senhor tem estado sempre sobre nós, como proteção e bênção. As promessas do Grande Espírito feitas antes mesmo que partíssemos cumpriram-se todas, nos mínimos detalhes, e nos protegeram nos momentos mais perigosos e arriscados e, ao chegar a estes ermos, também encontramos os caminhos abertos para seguirmos por eles, com segurança e sem temor.

Sabeis já quais as finalidades de nossa vinda, a saber: preservar a civilização atlante, os conhecimentos e as tradições religiosas de nossos antepassados; conservá-las e transmiti-las a outros povos em outros lugares, para que não se percam.

Aceitando a oferta fraterna destes nossos irmãos que antes de nós aqui chegaram, conduzidos pela mesma mão poderosa que nos guiou, unimo-nos hoje com eles, formando uma só família, uma só comunidade, que, pelo seu número, valor moral e recursos materiais, estará apta a vencer as dificuldades que surgirem na execução da tarefa que agora não é só nossa, mas de todos.

Segundo já estava decidido antes, pela feliz inspiração de nosso irmão Morevana, Nova Esperança será o nome de nossa colônia; nosso irmão Dáctilo, aqui presente, será o chefe material e nós, os sacerdotes, prosseguiremos com humildade nossas atividades referentes ao culto do Senhor. Estas decisões. foram tomadas por nós após consulta ao Grande Espírito, que falou pela boca de nosso irmão Tlotac, também aqui presente, que é um porta-voz autorizado do mundo invisível.

Meus irmãos: Nova Esperança será a semente plantada nestes ermos da nova civilização do mundo; nós teremos a glória de sermos os trabalhadores e os vigilantes dessa seara divina.

Assim, pois, de hoje em diante somos um só povo e teremos um só ideal: executar as instruções do Senhor, com rigorosa fidelidade e a custo da própria vida. Prestai, pois, submissa obediência a Dáctilo, ele é digno de merecê-la, e confiai na assistência jamais negada do Senhor de nossas vidas, enquanto formos dignos dela.

—·—

Após essa inspirada exortação de Astério e sob a condução enérgica e competente de Dáctilo todos se lançaram, com todas as forças, antes que o inverno chegasse, à construção das edificações da colônia; no acampamento e fora dele as atividades de trabalho se multiplicaram e, em breves dias, muitas outras cabanas estavam levantadas e vastos galpões para refeições em comum, para celeiros, depósitos de ferramentas e um maior e mais elegante, para as reuniões do culto a Deus.

Os campos foram trabalhados e semeados o trigo e outros cereais; animais domésticos vieram dos barcos e, com o tempo, reproduziram-se com muita rapidez; funcionaram oficinas para confecção de vestuários pesados de peles de animais selvagens e para a fabricação de armas rústicas, arcos, flechas, lanças, lâminas cortantes e muitos outros artefatos destinados à caça, à defesa da colônia e aos usos domésticos.

—·—

E os anos passaram... muitos deles de progresso e de lutas.

E as notícias daqueles progressos correram e visitantes foram chegando, de colônias atlantes perdidas por aqueles ermos e que dia a dia engrossavam a população; e a colônia cresceu de uma forma incrivelmente rápida, expandiu-se e, em pouco tempo, era como uma cidade cheia de gente, de movimento e de vida.

E pelo mar, de quando em quando, chegavam barcos, porque a passagem estreita por onde vararam os emigrados de Poseidônis, dia a dia se alargava e por ela já se aventuravam navegantes marítimos em busca de descobrimentos e de intercâmbio comercial.

E todos demonstravam o seu espanto por encontrar, em forma tão imprevista, uma verdadeira cidade atlante, habitada por homens de sua raça e que, como eles mesmos sobreviveram dos cataclismos e perpetuavam as tradições, as crenças e os costumes da antiga Poseidônis.

Em escolas adequadas "os jovens eram educados no culto do amor e da beleza, para que fossem artistas, poetas e cantores"; recebiam esmerada instrução religiosa, transmitida pelos sucessores dos sacerdotes heroicos que vieram com a primeira leva; eram sementes de uma raça nova, forte e sábia, defensora de uma herança cultural e religiosa destinada a formar uma nova civilização.

Rendiam culto à mocidade ardorosa, à beleza da forma, da luz, do som e da cor e legiões de guerreiros adestrados nos mais sadios esportes, disciplinados e bem armados, defendiam a comunidade, batendo-se vitoriosamente contra inimigos desconhecidos, que por várias vezes a atacaram.

— • —

E foi assim que a civilização atlante se preservou ali, junto ao Monte das Abelhas, na Arcádia[20], e se difundiu pelo Mediterrâneo e avançou para a Mesopotâmia, onde quer que se fundassem colônias novas, que deram origem aos diversos povos da civilização antiga: cabiris, curetes, telquines (os primeiros instrutores dos gregos), caros, gregos, egípcios, acádios e mais tarde os etruscos, judeus, caldeus, assírios e tantos outros cujos feitos a História registra.[21]

Quanto aos árias – os homens da Quinta Raça – que, do centro da Europa imigraram para a Índia, estes lutaram de início contra os nativos, para a conquista do solo, em batalhas cruentas que a história registrou na grande epopeia hindu denominada Ramaiana e, por fim, sob a direção missionária de Rama, transformaram-se em um foco incontestável

---

[20] Vide mapa no apêndice, página 125.

[21] Ernest Bosc - *Diccionaire General de Arqueologie e Antiquités*.

de civilização espiritual; os mesmos que mais tarde vieram descendo para o Ocidente até o Mediterrâneo, onde se mesclaram com esses povos citados atrás e, depois, com os descendentes das colônias atlantes da Península Ibérica, também já citados, concorrendo assim a formar a civilização futura da Europa e o predomínio da Quinta Raça no mundo ocidental.

Rama havia estabelecido na Índia o culto de um Deus Único, mas logo se formaram cultos menores, particularizados, que o reformador Manu codificou no Bramanismo.

O mesmo sucedeu na Grécia, onde os deuses eram francamente humanizados e também no Egito onde, todavia, nos templos de Mênfis, de Tebas, de Saís, de Karnac, de Luxor, de Dendera, os sacerdotes conservaram os cultos herdados dos ancestrais atlantes.

Assim formou-se um imenso circuito histórico, com partida na Atlântida: na linha inferior pelo Mediterrâneo até a Mesopotâmia e, na superior, através da Europa para a Índia e desta novamente para o ocidente, até fechar também na Mesopotâmia, com os Sumerianos. As verdades espirituais foram transmitidas uniformemente pela voz de missionários autorizados à medida que as civilizações se sucediam nesse esquema harmonioso.

Mas, com o tempo, por toda parte o culto verdadeiro foi se recolhendo ao recato das elites sacerdotais, oficializando-se nas massas do povo na forma de um materializado politeísmo mitológico, em alguns lugares tão degenerado e repugnante que nem mais um resquício sequer conservava do culto primitivo.

E também, em consequência, nenhum sinal sequer havia dos primitivos atlantes que passaram a ser, como nação, uma lenda ou uma hipótese a discutir, e somente agora, das profundezas do passado, as cortinas vão sendo levantadas, desvendando alguma coisa dos mistérios do passado, recolocando no seu trono a verdade espiritual que sempre condiciona, em todas as épocas, os destinos do mundo.

. 13 .
Missão do Espiritismo

Essa situação de degeneração espiritual, apesar da vinda de missionários instrutores em várias épocas, perdurou até que se abriu um novo período de civilização, com a constituição de uma religião francamente monoteísta, mais avançada e verdadeira, que representaria o fulcro luminoso do conhecimento espiritual do futuro.

E o povo hebreu foi o escolhido para essa realização sagrada, com base na promessa divina feita ao patriarca Abraão, na cidade de Ur, na Mesopotâmia.

Cativo por mais de quatrocentos anos dos egípcios, nas terras de Goshen, em trabalhos forçados, surgiu para esse povo um missionário poderoso e iluminado – Moisés – que dali o libertou, conduzindo-o a uma terra de promissão, às margens do rio Jordão, em Canaã.

Foi-lhe outorgado um código avançado de conduta moral – o Decálogo – e um Deus Único – Jeová – protetor e defensor, que se manifestava de forma tão evidente e objetiva, em todas as ocasiões graves, que se radicou para sempre no coração desse povo. Suas leis religiosas eram rigorosas, inflexíveis e tão fortes, que puderam mantê-lo unido e fiel através dos tempos e das mais terríveis vicissitudes.

Não eram leis de redenção, mas de aglutinação em torno a uma realidade única, a um poder cósmico soberano e uno, a um código que levasse a realizações redentoras, futuramente.

Essa foi a missão de Moisés, o missionário hebreu: preparar um povo para a primeira religião monoteísta, limpar os caminhos para o advento de um novo enviado divino, arrotear o solo para uma semeadura de maior expressão evolutiva.

— · —

E veio então Jesus, mais tarde, na Palestina, o excelso Enviado, que pregou a redenção pelo amor, a unidade em Deus, como Pai.

O substrato de seu código de conduta moral, denominado Evangelho, Boa Nova, está contido no Sermão do Monte, cujas regras são, ao mesmo tempo, uma libertação pelo conhecimento e uma realização redentora.

É cultuado no mundo por centenas de milhões de adeptos, mas jamais foi cumprido no seu verdadeiro sentido cósmico e, por isso, a humanidade não pôde ser ainda encaminhada a seus superiores destinos espirituais.

O missionário nazareno, uma verdadeira manifestação do Cristo Planetário, foi imolado na cruz pelo povo escolhido, aquele mesmo povo preparado para recebê-lo e amá-lo, e os seus ensinamentos, pouco mais tarde, foram utilizados para dominação religiosa, visando interesses meramente humanos.

Mas encerrou-se o ciclo? Não. Na sua onisciência das coisas futuras, sabendo que seus ensinamentos e seu testemunho de amor, na morte física, não bastariam para esclarecer as consciências, o Cristo prometeu, como pastor e guia da humanidade, não esmorecer nos esforços de redenção, não como naqueles dias, descendo à Terra ele mesmo, mas enviando novos missionários para completar a obra, antes que as sombras do encerramento do ciclo se estendessem sobre o mundo; essa mesma obra que os discípulos e apóstolos, logo após seu regresso aos Planos Espirituais, tentaram realizar na Terra com a difusão do seu Evangelho, em várias partes do mundo de então, oferecendo-se como testemunhos vivos de sua autenticidade e do seu poder redentor.

O sacrifício desses servidores fiéis não foi inútil porque os ensinamentos se perpetuaram no tempo,

Edgard Armond

difundiram-se no mundo, e serviram de base à criação do Cristianismo Primitivo, que exigia a vivência, segundo a essência do ensinamento.

Conquanto tenha sido substituído mais tarde, como já dissemos, por organizações religiosas dogmáticas, mais que tudo radicadas a interesses humanos, a doutrina verdadeira não desapareceu – **minhas palavras, disse o Cristo, não passarão** – porque viriam mais tarde a ser revividas em espírito e verdade – **Deus é espírito e em espírito e verdade deve ser adorado** – por uma religião não de homens, mas de próprios discípulos e mensageiros.

E veio, em nossos dias, como Doutrina dos Espíritos, cuja tarefa é reviver esse Cristianismo Primitivo. Essa Doutrina hoje se expande irresistivelmente pelo mundo, sem fronteiras e, como antes, nos tempos apostólicos, sua finalidade é:

1°) esclarecer as mentes sobre as verdades espirituais;

2°) operar nos homens as transformações morais indispensáveis à sua redenção, à sua integração nos mundos espirituais superiores.

Reviver, pois, o Cristianismo Primitivo, na essência dos seus ensinamentos e nos termos expressos pelo Divino Mestre, eis a sua gloriosa tarefa, em pleno curso em nossos dias.

O Espiritismo, portanto, não é simplesmente um conhecimento teórico ou especulativo: é iniciação em verdades maiores e ação plena e efetiva para o bem da coletividade; não é somente um esforço intelectual, uma pesquisa de caráter filosófico, ou demonstrações de fenômenos estranhos, com penetração mais ou menos profunda, nas leis naturais, mas devotamento ao próximo, ajuda recíproca, confraternização, demonstrações legítimas de amor universal, para que assim os homens se redimam do passado culposo e se aproximem de Deus.

É realização espiritual, individual e coletiva, no sentido elevado e verdadeiro; doutrina essencialmente redentora, porque tem a força do convencimento pelos fatos.

— • —

Assim terminou a aula e neste ponto o expositor silenciou, como cansado do demorado esforço feito. O auditório nem uma vez sequer demonstrara fastio ou desinteresse e ainda agora aguardava, atento, o prosseguimento.

Ele sorriu, comovidamente, compreendendo isso e concluiu dizendo:

— Chegamos ao final, caros irmãos aprendizes, desta já tão longa dissertação. Que ela vos tenha sido útil, eis os meus votos e as minhas esperanças de que, ao atingirdes os graus superiores do conhecimento espiritual, tenhais vossos corações cheios de reconhecimento pelo que aqui vos tem sido dado aprender, desde o primeiro dia.

Tende também presente que a posse de conhecimentos se traduz em responsabilidades e o cumprimento desta lei é atributo dos verdadeiros discípulos, e que para o seu cumprimento eles vivem e morrem.

Peço ao Senhor que abertos estejam sempre os vossos caminhos, e bem claros à vossa frente os vossos deveres, para que possais cumpri-los com exatidão; e não vos esqueçais de que, nas sombras do mundo, as verdadeiras claridades vêm do Evangelho e a segurança se encontra no escudo poderoso da fé.

Levanto meu coração ao Divino Mestre, para que derrame suas bênçãos e as luzes do seu amor sobre esta Casa venerável e acolhedora que deverá atingir, neste país de destinação tão elevada, seu glorioso destino, de manter acesa a chama da Verdade evangélica e de espalhá-la amplamente pelo mundo. Que assim seja.

___ . *14* . ___

Epílogo

Ao nos retirarmos naquela noite, trocamos impressões fraternas com os demais companheiros desencarnados e vi como eram todas de franca admiração pelo que ali se fazia em favor da cristianização.

E fácil me foi, recorrendo às gravações etéricas, reproduzir a matéria exposta naquela verdadeira e brilhante dissertação doutrinária e retransmiti-la ao vosso plano, numa descrição mediúnica telepática. E isso o fiz por duas razões:

1º) porque o assunto, bem versado como foi, o merecia;

2º) como homenagem que desejei prestar a esta venerável instituição pioneira, como verifiquei ser, de conhecimentos espirituais avançados.

Resta-me agora dizer que o Expositor, durante todo o tempo de sua brilhante oração foi, entre outros, diretamente inspirado pela suave entidade que vertera antes, em meu pobre coração, esperanças comovedoras de novos e próximos reencontros.

— • —

No dia imediato, após carinhosas despedidas, voltei ao meu trabalho, humilde, na Colônia do Céu Azul.

O sol despontava brilhante e quente quando parti, e foi com pensamentos diferentes daqueles que tinha quando vim; já não mais encarava a evangelização das massas populares como uma atividade que somente frutificara no passado, em condições especiais, nos dias gloriosos das pregações apostólicas.

Acabara de ver como a pregação das mesmas verdades, os testemunhos nos mesmos termos de renúncia, sacrifício e idealismo, poderiam reproduzir-se fielmente em nossos dias.

Servidores e discípulos, animados dos mesmos sentimentos de amor fraternal pelos homens, prosseguiriam na mesma obra, obtendo da mesma forma resultados redentores.

Vendo o que fizeram tão poucos no passado e o que fazem tantos outros, talvez muitos dos mesmos, no presente, como caravana que caminha pelos mesmos rumos para atingir os mesmos fins, criei forças novas: fortifiquei minha fé no triunfo do Evangelho no mundo.

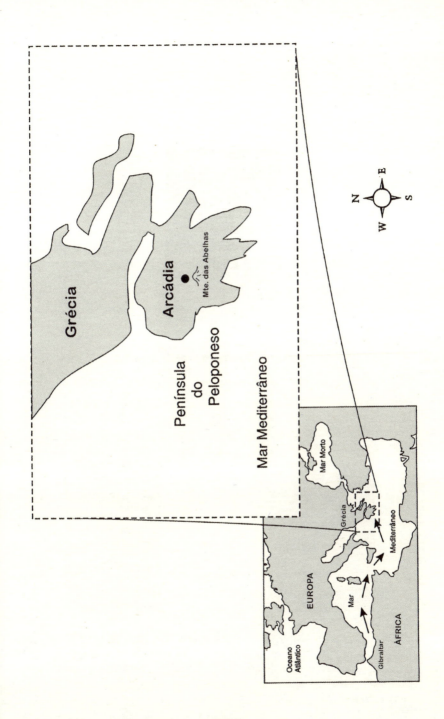

Aliança

História da Evolução Espiritual da Humanidade
TRIOLOGIA

Os Exilados da Capela
A formação e evolução das
raças no planeta Terra.

Na Cortina do Tempo
Sobreviventes salvos da Atlântida
preservam seus conhecimentos
destinados à posteridade.

Almas Afins
A trajetória de Espíritos afins
desde a submersa Lemúria
até os dias atuais.

Aliança

Mediunidade

Mediunidade
Edgard Armond
16 x 23 cm | 224 Pág

Os aspectos,
desenvolvimento e utilização
da mediunidade.

Passes e Radiações
Edgard Armond
16 x 23 cm | 160 Pág

Métodos espíritas
de cura e tratamento
espiritual.

Métodos Espíritas de Cura
Edgard Armond
14 x 21 cm | 128 Pág.

O funcionamento da mente
e repercussões espirituais.
As cores e a cura.

Relembrando o Passado
Edgard Armond
14 x 21 cm | 160 Pág.

Experiências marcantes
de trinta anos de
trabalho espiritual.

Desenvolvimento Mediúnico
Edgard Armond
14 x 21 cm | 88 Pág.

Um roteiro perfeito para
o bom funcionamento
da mediunidade.

Prática Mediúnica
Edgard Armond
16 x 23 cm | 192 Pág

Levantamentos sobre a
realidade da prática mediúnica
e melhores direcionamentos.

Campanha de Preservação da Vida
EDITORA ALIANÇA
Tema: PREVENÇÃO AO SUICÍDIO

CURSO DE ESPIRITISMO
INFORME-SE

0800 110 164

HORÁRIO COMERCIAL

Visite nosso site
www.editoraalianca.com.br

Ouça o programa *É Hora de Aliança*
Rádio Boa Nova - 1450 AM / Sábado - 17h